LLÊN Y

GOL

J. E. CAERWYN WILLIAMS

Caradog Prichard

Mihangel Morgan

GWASG PANTYCELYN

ISBN 1 874786 95 X

Dymuna'r cyhoeddwyr gydnabod yn ddiolchgar
gefnogaeth ariannol Cyngor Celfyddydau Cymru.

Argraffwyd gan Wasg Pantycelyn, Caernarfon

CYDNABYDDIAETH

Dymunaf yma gydnabod fy nyled i Huw Meirion Edwards a Gwenllian Dafydd am ddarllen y gwaith hwn yn ofalus, ac am eu sylwadau gwerthfawr.

Diolch hefyd i Carys Briddon am ei gwaith teipio a phrosesu cymen.

Carwn ddiolch hefyd i olygydd y gyfres, y diweddar Athro J. E. Caerwyn Williams.

* * *

Wrth i mi baratoi'r gyfrol hon pwysais yn drwm ar waith sawl ysgolhaig a'u hastudiaethau ar waith Caradog Prichard. Mae fy nyled yn arbennig i erthygl Dafydd Glyn Jones yn *Dyrnaid o Awduron Cyfoes* (Lerpwl, 1975, tt. 191-222); llith Simon Brooks 'La Mort de Bethesda' (*Tu Chwith* Ebrill/Mai 1993, tt. 14-28); erthyglau anhepgor John Rowlands, 'Y Fam a'r Mab – Rhagarweiniad i "Un Nos Ola Leuad"' (*Ysgrifau Beirniadol XIX*, Dinbych 1994, tt. 278-309), ac *Un Nos Ola Leuad* (*Caradog Prichard*) (Aberystwyth 1997). Go brin fy mod yn gallu osgoi aralleirio ac ailgylchu darganfyddiadau'r astudiaethau hyn yn y gyfrol hon gan iddynt fynd yn rhan o'm syniadau fy hun am waith Caradog Prichard. Ymddiheuraf ymlaen llaw am gyflwyno'u gwaith gwreiddiol nhw eto yn eildwym yng nghorff fy ngwaith i.

Ond y mae fy nyled bennaf i Menna Baines a'i thraethawd meistraidd 'Ffaith a Dychymyg yng Ngwaith Caradog Prichard' (MPhil, Cymru: Bangor 1992). Yn ddigywilydd, cyfaddefaf fod yr astudiaeth gynhwysfawr a threiddgar honno yn sylfaen i'r llyfryn hwn i'r fath raddau fel na fyddai'n ymarferol i mi gyfeirio at y gwaith bob tro yr wyf yn ei ddefnyddio fel ffynhonnell gwybodaeth.

RHAGYMADRODD

Yn y drafodaeth hon penderfynais y byddwn i'n *ceisio* ymgroesi rhag defnyddio termau megis gwallgofrwydd, gorffwylledd, ynfydrwydd a chyfystyron eraill, wrth sôn am y fam a'r mab yn *Un Nos Ola Leuad*. (Yn rhyfedd iawn, prin fod neb wedi sôn am loerigrwydd wrth siarad am y nofel.) Rhy hawdd fu esbonio ymddygiad prif gymeriadau'r nofel gan arfer y termau hylaw hyn sydd, yn fy marn i, yn ffordd ry rwydd o ddelio gyda sefyllfa gymhleth. Yn wir, mae'n syfrdanol pa mor sydyn y try'r beirniad llenyddol yn seicolegwyr ac yn seicdreiddwyr amatur wrth ddarllen y nofel hon. 'Mae'r bachgen dienw, *rhagor na'i fam*, yn ynfytyn', meddai Simon Brooks. Cytunwn innau mai'r amheuaeth hon sydd yn rhoi'r naratif ar echel ansicrwydd epistemolegol. Ond ofnaf fod yma enghraifft o'r awydd i labelu mathau o ymddygiad anghonfensiynol a allai ac sydd yn arwain yn anorfod at y 'rhoddi dan glo' gorfodol a wneir, fe honnir, er 'lles y gymdeithas'. Rhoi pobl dan glo, hynny yw, yn y lle a elwid yn 'uffern' ac yn 'warth ar wareiddiad' gan Caradog Prichard, lle cwynodd ei fam, Margaret Pritchard, iddi gael ei churo gan y nyrsys. Ond doedd neb yn ei chredu, wedi'r cyfan roedd hi'n ynfyd, on'd oedd hi? Ond nid hi oedd yr unig un i gwyno am greulondeb trefn y seilam. Yn ei lyfr ar ryw, trais a chymdeithas yn sir Gaerfyrddin 1870-1920 (cyfnod sydd yn cyfateb yn union i fywyd Margaret Pritchard) dywedodd Russell Davies:

> . . . the problem of maintaining 'discipline' and order was subtly described in medical terminology. When the Medical Superintendent wrote 'treatment' in his journal, the historian can substitute 'discipline', while 'medical care' was a term which, in the reality of asylum conditions, included the shower bath and electric bath.

Ond pwy sy'n credu ynfydion? Os yw'r bachgen yn *Un*

Nos Ola Leuad yn ynfyd yna ni ellir rhoi coel ar ddim a ddywed, ac felly mae'n adroddwr annibynadwy *par excellence* yn llinach Humbert Humbert a Holden Caulfield. Ond mae'r ansicrwydd hwn yn offeryn grymus er archwilio'r byd er mwyn ceisio'i ddeall yn well ac er dadansoddi'r ffordd mae cymdeithas yn gweithio. Defnyddiodd Caradog Prichard bob darn o fochyn ansicrwydd fel nad oedd dim ar ôl ond ei wich, ond mae'r beirniaid ar y llaw arall wedi'i chael hi'n ddigon hawdd sôn am 'wallgofrwydd' fel petai'n ddiamwysedd.

Wedi dweud hynny, nid beirniaid llenyddol o seicdreiddwyr amaturaidd sydd yn fy mhoeni eithr seicdreiddwyr proffesiynol o feirniaid amaturaidd, fel Freud er enghraifft. Hwynt-hwy, wedi'r cyfan, sy'n gyfrifol am roi pobl fel mam y nofel a Margaret Pritchard dan glo.

Dangosodd Joseph Mitchell yn *Joe Gould's Secret* (1964) y modd y gall y ddinas fawr (Efrog Newydd yn yr achos hwn) gynnwys a derbyn ymddygiad od ac anghonfensiynol – anghymdeithasol, hyd yn oed – heb ei 'roi dan glo'. Dianc o gymuned fechan lle roedd pawb yn ei adnabod ef a'i deulu fu hanes Joe Gould, 'He had declined to stay in Norwood and live out his life as Pee Wee Gould, the town fool. If he had to play the fool, he would do it on a larger stage, before a friendlier audience. He had to come to Greenwich village and he had found a mask for himself . . .' Heb addasu'i ymddygiad i blesio neb treuliodd Joe Gould, yr egsentrig bohemaidd, weddill ei oes yn crwydro Efrog Newydd yn ddigartref gan honni'i fod yn sgrifennu'r llyfr mwyaf (o ran ei faint a'i swmp) yn y byd, sef 'The Oral History'. Ond doedd yr hanes enfawr ddim yn bod. Yr unig bethau y llwyddodd Joe Gould i'w sgrifennu oedd fersiynau niferus o farwolaethau'i dad a'i fam.

Gwelir yma, efallai, debygrwydd i Caradog Prichard – yr obsesiwn gyda'r hanes teuluol, yr elfen hunangofiannol gref, y dihengydd o'r lle bach cyfyng i'r lle mawr amhersonol. Dihangodd Joe Gould, yn ei ffordd. Dihangodd Caradog Prichard hefyd. Ond nid yw cymeriadau'r nofel yn llwyddo i ddianc o Bentra; y seilam ac angau yw'r unig bosibiliadau. I'r seilam yr aeth mam y bachgen yn y nofel fel mam y llenor.

Yn ei hunangofiant *Afal Drwg Adda*, wrth drafod 'Terfysgoedd Daear' a'r profiad o ddod yn agos at ei ladd ei hun, fe ddywed Caradog Prichard :

> Prin iawn yw mesur parch a chydymdeimlad dyn at gyd-ddyn fo'n glaf ei feddwl. Mae'r meddwl claf yn ddieithriad yn wrth-gymdeithasol a'r ymateb greddfol tuag ato yw ei roddi dan glo. Dyna pam, er yr holl dyneru a dyneiddio fu ar wasanaethau cymdeithasol yn ein dyddiau ni, bod stigma'n glynu wrth bob ymennydd claf a greddf hunan-gadwraeth yn peri bod deddf grym yn gweithredu i reoli pob ymddygiad a ystyrir yn arwydd o wendid meddwl. Byr yn ei hanfod yw amynedd yr iach at y claf, y cryf at y gwan. A chyn pallu o amynedd y darllenydd brysiaf i bwysleisio mai ymgais sydd yma i chwilio neu i ffansïo os mynnir, arwyddocâd y cymhellion a roes fod i bryddest a gyfrifir ymhlith cerddi Cymraeg gorau'r ganrif ond sydd ar yr un pryd yn gynnyrch meddwl claf ac, yn ôl deddfau naturiol perthynas dyn â'i gyd-ddynion, yn wrth-gymdeithasol.

Yn y darn hwn gwelir hunanganmoliaeth ddigywilydd ochr yn ochr â'r cyfaddefiad (ymffrost bron) fod y bardd yn 'glaf ei feddwl' pan luniodd 'Terfysgoedd Daear'. Hyd yn oed os yw cymdeithas yn ddigydymdeimlad mae'r bardd ei hun fel petai'n gweld 'clefyd' meddyliol fel modd i gynysgaeddu gwaith llenor ag awdurdod arbennig.

Ni chafodd Joe Gould ei 'roddi dan glo', fe'i goddefid fel 'bohemiad' ac fel gweledydd gan amryw. Credaf fod yr agwedd hon yn iachach na'r awydd i labelu mam y bachgen yn y nofel fel gwallgofwraig a bod mor barod â'i chymdogion 'caredig' i'w hebrwng i'r seilam:

> Mi gaiff hi bob chwara teg.
> Mi edrychan nhw ar ei hôl hi'n iawn.
> Ma hi siŵr o fendio'n reit fuan.
> Fydd hi ddim yno'n hir, wsti.

Yn y geiriau caredig, cysurus hyn clywir cadwyni'r seilam a'r drysau'n cloi ar y fam am byth. Celwyddau yw'r geiriau hyn i gyd.

> Ostensibly a centre established to 'cure' the mentally ill and restore them to a valued place in society, the asylum very soon came to be regarded as a detention centre . . . the asylum was in actual fact a custodial centre concerned with the maintenance of order.

Dadlennol yw'r ffaith mai prin yw beirniaid sydd wedi ystyried arwyddocâd uchafbwynt *Un Nos Ola Leuad* – sef neilltuo'r fam i'r seilam – er bod Simon Brooks yn awgrymu y dylid edrych arno yng ngoleuni gwaith Foucault ar y seilam.

Wedi mynd â'r fam i'r seilam gadewir y bachgen ar ei ben ei hun mewn ystafell a cheir yr olygfa hon:

> O'r diwedd dyma'r ddynas ddiarth yn dwad i mewn, ar ben ei hun ac yn cario rhywbath yn ei llaw.
> Dyma chi, medda hi. Mae eisio ichi fynd â hwn adra hefo chi.
> A rhoid parsal bychan wedi'i glymu hefo llinyn yn fy llaw i.
> Be ydy o? medda fi.
> Dillad eich Mam. A rhain hefyd. Mae eisio ichi gymryd rhain hefyd.
> A dyma hi'n rhoi dwy fodrwy yn fy llaw arall i. Modrwy briodas Mam oedd un, a honno wedi gwisgo'n dena, a'r fodrwy arall oedd yn arfar bod am ei bys hi bob amsar oedd y llall.
> Fedrwn i ddim deud dim byd, dim ond sbio ar y parsal bychan oedd yn fy llaw dde i a'r modrwya yn fy llaw chwith i. Ac yn treio meddwl sud oeddan nhw wedi cael dillad Mam i gyd yn barsal mor fychan.

Y darn nesaf sydd yn dod yn syth ar ôl hwn sydd, yn draddodiadol, wedi cael y sylw i gyd, ar gorn ei 'farddoniaeth', a'r dyfyniad enwocaf o'r nofel, fe ddichon, lle mae'r bachgen yn crio. Ond yn y darlun uchod y mae'r ergyd. Yno fe welir statws y Fam – ei gweddwdod – ac yno fe'i gwelir yn cael ei hamddifadu o'r statws hwnnw ac o'i hunaniaeth. Fel y dengys Russell Davies, roedd hyn yn hollol nodweddiadol o seilamod y dydd:

> From the patient's first encounter with the asylum, everything about the institution seemed to lessen the chances of cure. On arrival, patients were deprived of all their personal belongings, including their clothes. **All the mechanisms and tools with which the individual**

> **had defined himself to society** – clothes, cigarettes, combs – **were taken** and the person was thrown naked and unprotected into a new and alien world. [*Ychwanegwyd y pwyslais.*]

Oni fuasai hi wedi bod yn well i'r Fam a Jini Bach Pen Cae a Catrin Jên Lôn Isa pe buasai Pentra wedi gallu'u derbyn a'u cynnwys fel y gwnaeth Greenwich Village yn achos Joe Gould? Beth, wedi'r cyfan, oedd wrth wraidd ymddygiad y Fam yn y nofel a mam y llenor ei hun? Gwelodd Menna Baines yr ateb yn yr hunangofiant:

> Yn *Afal Drwg Adda*, fodd bynnag, mae'n rhoi'r bai mwyaf am ddirywiad meddwl ei fam ar yr amgylchiadau a grëwyd gan ei gweddwdod . . . Ei gweddwdod a'i rhoddodd ar y plwy ac ar drugaredd gwahanol landlordiaid.

Ymhlith papurau Caradog Prichard yn y Llyfrgell Genedlaethol ceir toriad o bapur newydd sy'n hynod o arwyddocaol, sef llythyr gan Henry Bashford yn y *Sunday Times* lle mae'n dadlau nad oes y fath beth â salwch meddwl. Dyddiad y toriad hwn yw 30 Mai 1954, fis ar ôl i fam Caradog Prichard farw yn y seilam.

I

Ar ddechrau ei ragair i'r gyfrol *Llef Un yn Llefain* (1963) edrydd Caradog Prichard hanesyn bach:

> Ar ôl seremoni'r Cadeirio yn Eisteddfod Llanelli y llynedd, gofynnodd merch o Saesnes, heb flewyn ar ei thafod imi – "*What kind of a poet are you?*" Wrth ymbalfalu am ateb, cofiais am ddisgrifiad un beirniad o'm gwaith fel "canu patholegol", a dywedais hynny wrth y ferch. "Then you must be a pathological case", meddai. "I suppose I am", meddwn innau. Ond ni fodlonwyd y ferch ac aeth y ddeialog ymlaen fel hyn:
>
> Y Ferch: "What English poet would you say you most resemble?"
> Fi: "Swinburne".
> Y Ferch: "But he was a half-wit, was he not?"
> Fi: "So they say."
> Y Ferch: "Then you're a half-wit?"
> Fi: "I must be or I wouldn't be writing Welsh poetry".

Datgelir gwybodaeth bwysig yma am agwedd y llenor tuag at ei fywyd, ei waith a'i Gymreictod. Dangosodd Menna Baines yn ei hastudiaethau fod gan Caradog Prichard deimladau deuoliaethus tuag at y Gymraeg – a dychwelwn at y cymhlethdod hwn yn nes ymlaen. Yna fe welir parodrwydd hynod i dderbyn term mor andwyol â 'patholegol'. Ond mae'n anodd dweud yn union yn awr beth a olygai Prichard wrth y gair (heb sôn am beth a olygai'r adolygydd a sut y deallai'r ferch y gair). Wrth i'r ferch ddyfalbarhau â'i holiadau mae'r ansicrwydd yn cynyddu wrth i Prichard ei gymharu'i hunan â Swinburne.

Algernon Charles Swinburne (1837-1909) – un a adnabyddid fel 'The un-Victorian', ac a ddrwgdybid ar gorn ei wrthwynebiad beirniadol i Gristnogaeth, ei ddiddordeb yng ngwaith de Sade a masochistiaeth, ac oherwydd ei gasineb tuag at awdurdod o bob math. Ai yn y farddoniaeth yr oedd y tebygrwydd honedig rhwng Prichard a Swinburne? Go brin. Yn ei dridegau cafodd Swinburne broblemau gyda'r hyn a elwid (yn llednais) yn 'nerfau', heb sôn am ei alcoholiaeth a'i arfer o'i gor-wneud hi yn gyffredinol. Yna, yn 1879, fe'i cymerwyd gan Theodore Watts-Dunton (awdur y rhamant Gymreig *Aylwin*) i'w dŷ sef *The Pines*, Putney. Ac yno yr arhosodd Swinburne dan ofal Watts-Dunton hyd ei farw yn 1909. Mewn geiriau eraill daeth cartref Watts-Dunton yn rhyw fath o noddfa, neu seintwar i Swinburne – neu, a defnyddio gair arall, seilam. Mae lle i gredu y buasai Swinburne wedi cael ei gymryd i seilam go-iawn oni bai am ofal Watts-Dunton. Ond nid oedd gwallgofdai'r ganrif ddiwethaf yn llefydd i foneddigion (yn enwedig i fonheddwr o ŵr llên) fel Swinburne. Ai dyma oedd gan y ferch dan sylw wrth alw Swinburne yn 'half-wit'? Beth bynnag oedd yn bod ar Swinburne (os oedd rhywbeth yn bod arno o gwbl) nid oedd ei ymddygiad yn dderbyniol yng ngolwg cymdeithas ei ddydd, a chan fod ei ymddygiad yn anghymdeithasol bu'n rhaid iddo ymneilltuo (neu gael ei neilltuo) oddi wrth y gymdeithas honno. Rwy'n amau i'r ymddiddan rhwng Caradog Prichard a'r ferch ddigwydd mewn gwirionedd; ofnaf iddo'i lunio'i hun er mwyn gofyn y cwestiynau yr hoffai eu hateb yn ei ffordd ei hun. Wedi'r cyfan mae'n od ei bod hi'n galw Swinburne yn 'half-wit'; roedd e'n ddyn rhyfedd, yn egsentrig a dweud y lleiaf, ac yn athrylith, efallai. Camddefnydd o'r ymadrodd Saesneg a geir yma. Onid yw 'half-wit' yn gyfieithiad uniongyrchol o 'hanercof' neu 'hanner-pan'? Yn ôl *Geiriadur Prifysgol Cymru*, '*hanner-pan*, hanerpan . . . wedi hanner ei bannu; yn *ffig*. hanner call, gwirion; un hanner call: *half-fulled; fig. half-witted, half-soaked, foolish, 'not all there'; half-wit; hanercof* . . . ynfyd, ffôl, gorffwyll: *foolish, half-witted, distracted*'. Ond mae 'patholegol' yn swnio'n fwy swyddogol, yn fwy clinigol.

Mae'n od, ar yr olwg gyntaf, fod Caradog Prichard yn ei uniaethu ei hun â'r bardd hwn ac yn ymhyfrydu, fel petai, yn y disgrifiad o'i waith ei hun fel 'canu patholegol'.

Mae'i farddoniaeth yn glaf, ac mae'n derbyn hynny, a cheir yr awgrym ei fod ef ei hun yn glaf ('half witted', hanercof), ac o'i barodrwydd ef i gydnabod hynny, fe ymddengys ('I must be'), ond ymhellach mae'r hanner-cofrwydd hwn yn cael ei gysylltu â'i Gymreictod ('or I wouldn't be writing Welsh poetry.').

Mewn astudiaeth gynnar (a hynod o dreiddgar) dywedodd Elsbeth Evans:

> . . . y mae natur ei ganu yn tarddu, yn y pen draw, o naws ei feddwl ei hun; ac y mae'r meddwl hwnnw yn ymdroi beunydd barhaus mewn un rhigol, a honno'n rhigol anghyffredin iawn.

Yn nes ymlaen mae hi'n ymhelaethu fel a ganlyn:

> Y ffordd rwyddaf o drin meddyliau claf fuasai eu dadansoddi â chwilfrydedd oer dideimlad yr eneidegwr. Buasai unrhyw fardd arall, bron, wedi ymostwng i'w trafod; buasai sawyr elusen ar ei gydymdeimlad. Nid felly Caradog Prichard. Ni thorrodd ef linell rhwng y gwallgof a'r gweledydd.

Fe sylweddolwyd o'r dechrau taw 'gwallgofrwydd' oedd prif thema Caradog Prichard, a mwy na hynny, ei fod yn un o'i obsesiynau, gyda'i feddwl, fel y dywed Elsbeth Evans, yn 'ymdroi beunydd barhaus mewn un rhigol'. Yn sicr, y rhigolrwydd hwn a'r canu ar yr un tant sydd wedi rhoi undod rhyfeddol ac organig i holl waith a bywyd y llenor. Bron na fyddai'n ormod dweud bod llên Caradog Prichard yn un testun estynedig a rhaniadau ynddo, yn hytrach na chasgliad o gerddi a chyfrolau annibynnol. A'r llinyn sy'n eu cysylltu hwy i gyd – fe gytunir yn gyffredinol – yw 'gwallgofrwydd'. 'Bu gwallgofrwydd yn garedig iawn tuag at Caradog Prichard', meddai R. M. Jones mewn brawddeg agoriadol stroclyd i ysgrif dan y teitl 'Gwallgofrwydd a Hunanladdiad'. Ond gwelodd Caradog Prichard 'wallgofrwydd' o safbwynt y 'gwallgofddyn', o'r tu fewn megis – heb 'ymostwng i'w [d]rafod' a heb 'sawyr elusen ar ei gydymdeimlad', chwedl Elsbeth Evans.

Defnyddia 'wallgofrwydd' fel chwyddwydr a thrwyddo mae'n edrych ar gymdeithas a strwythurau cymdeithasol megis yr eglwys, yr ysgol, y gymdogaeth ac, yn anochel, y seilam gan eu harchwilio a'u dinoethi. Anaml iawn y try'r chwyddwydr yn ôl ar 'wallgofrwydd' ei hun, anaml iawn y gofynna 'beth yw gwallgofrwydd?'; mae 'gwallgofrwydd' yn bod, does dim dewis ond ei dderbyn. Yn hyn o beth mae'n debyg iawn i'w feirniaid – Elsbeth Evans, R. M. Jones, ac eraill – sy'n defnyddio'r gair 'gwallgofrwydd' wrth drafod ei waith heb ofyn unwaith beth yw ystyr ac arwyddocâd y peth.

Mae'r gwaith yn dechrau yn 1924, fe ymddengys. Dywedodd Elsbeth Evans am ei bryddest 'Y Briodas',

> Nid prentiswaith ydyw. Nid rhyw flaenbrawf ar gyfer rhyw waith diweddarach. Fe fu arbrofion o'r fath, yn ddiau, eithr ni welsant olau dydd.

Do, fe fu arbrofion, fel y darganfu Menna Baines yn ei gwaith ymchwil. Yn 1924 anfonodd Caradog Prichard gerdd i gystadleuaeth dan feirniadaeth Cynan. Ceir sylwadau'r beirniad a dyfyniad o'r gerdd (hyd y gwyddys ni oroesodd copi ohoni) yn *Y Brython* y flwyddyn honno:

> . . . efallai mai'r peth mwyaf di chwaeth yn y gystadleuaeth yw gwaith un bardd (a hwnnw'n gwybod peth amgen) yn gosod geiriau fel y rhain yng ngenau ei fam wallgof:
>
> "Ddoist tithau y diawl i'm bradychu
> A wyt tithau fy mab gyda hwy
> Y giwed sy'n ceisio fy nychu
> A'm gadael ar gardod y plwy."
>
> O Realaeth! y fath anfadwaith a gyflawnir yn dy enw!

Yn y cipolwg cyfareddol hwn o gerdd a gollwyd, yn wir, yn y pennill unigol ac unig hwn, fe welir popeth o bwys a sgrifennwyd gan y llenor wedyn, yn gryno; paranoia'r wraig, y tyndra rhwng y fam a'r mab, y dioddefaint cymdeithasol a thlodi enbyd, diymgeledd gwraig weddw yn yr oes honno.

Mae'r flwyddyn 1924 yn arwyddocaol. Roedd Caradog Prichard tua'r ugain oed a'r flwyddyn gynt, Tachwedd 26 1923 a bod yn fanwl, y cymerwyd Margaret Jane Pritchard i'r ysbyty meddwl yn Ninbych; yno yr arhosai am weddill ei hoes. Dyma un o ffeithiau pwysicaf bywyd

Caradog Prichard. Manylyn pwysig arall yw iddo gael ei eni yn 1904. Ond mae mwy o bwysigrwydd i'r flwyddyn na dyddiad geni, oherwydd yr un flwyddyn, ac yntau'n bum mis oed, bu farw'r tad mewn damwain yn y chwarel. Ac mae cysylltiad cryf rhwng y digwyddiadau hyn a holl waith gwerthfawr Caradog Prichard. Er bod ugain mlynedd rhwng yr enedigaeth-brofedigaeth a neilltuaeth Margaret Jane Pritchard mae'r ddau beth ynghlwm wrth ei gilydd, arweiniodd y naill yn drasig o anochel at y llall. (Hwyrach nad oedd Margaret Jane Pritchard wedi dod dros ei beichiogrwydd yn iawn a'i bod yn dal i ddioddef o'r iselder sydd yn effeithio ar lawer o famau newydd – cyflwr a all barhau am amser maith – pan ddaeth y newyddion am farwolaeth annisgwyl ei phriod.) Ac mae gwaith Caradog Prichard yn dechrau gyda'r hyn a ddigwyddodd i'w fam yn 1923. Twriodd wedyn i archaeoleg achosion y digwyddiad yn ei farddoniaeth, yn ei ffuglen ac yn ei atgofion. Fel rheol dylid gochel rhag gwneud cysylltiadau gor-syml rhwng gwaith llenor a'i fywyd, ond yn achos Caradog Prichard mae'n amhosibl peidio â sylwi ar y cyfatebiaethau agos a chyson rhwng ei fywgraffiad a'i lên. Troes ei fywyd yn llenyddiaeth nes ei fod yn destun llenyddol ei hunan.

Un o'r pethau arwyddocaol cyntaf a wnaeth y llenor oedd newid ei enw o Pritchard i Prichard. Wrth ollwng y 't' yn y canol diosgodd ei dad; mynegodd absenoldeb y tad drwy ddileu'r llythyren a safai amdano a chan newid ei enw fe'i newidiodd ei hunan gan greu person newydd annibynnol a llenyddol – Prichard y llenor heb 't', dat-dad-iedig. Peidiwn â darllen gormod i mewn i'r newid sillafu; ni roddai Caradog Prichard ei hun fawr o bwys arno, ond mae'n symbolaidd ac yn weladwy ac o'r herwydd yn beth i'w gofio.

Troes Caradog Prichard at yr Eisteddfod eto yn 1927 gan gystadlu am y Goron a'i hennill am ei bryddest 'Y Briodas'. Cyflawnodd yr un gamp yn 1928 ac yn 1929. Ni ddefnyddiodd unrhyw fardd arall yr Eisteddfod fel y gwnaeth Caradog Prichard ac ni fu neb mor llwydd-iannus chwaith. Er mor rhyfygus o gystadleuol fu

Caradog Prichard yn ei awydd di-chwaeth i gasglu llawryfon eisteddfodol (ni fodlonwyd ef hyd yn oed ar ôl iddo ennill tair coron yn olynol), rhaid cydnabod bod ei gerddi hirion yn anghyffredin o blith awdlau a phryddestau cadeiriol a choronog a hynny oherwydd nad oes nemor ddim o sawr y gystadleuaeth yn glynu wrthynt. Saif y pryddestau, yn arbennig, ar eu traed eu hunain ac yn annibynnol ar yr Eisteddfod. Ffurfia'r tair pryddest arobryn a 'Terfysgoedd Daear', ar gorn y berthynas agos rhyngddynt, un o orchestion barddonol mwyaf yr ugeinfed ganrif. Maent yn un cynllun llenyddol unol a gynhaliwyd gan y bardd dros ddeng mlynedd. Nid yw'r tyndra yn llacio rhwng 1927 ac 1939 oherwydd fod pob un o'r cerddi yn tarddu o obsesiynau'r bardd. Fel y dywed Menna Baines, '. . . mae'r cysonder syniadol a delweddol rhwng y gweithiau a'i gilydd yn drawiadol. Yr ydym mewn byd ac iddo wead tynn iawn.'

Yr hyn a achosodd y briw (hynny yw, *The Wound*, chwedl Norman Mailer, sef yr awydd i sgrifennu) yn Caradog Prichard oedd y profiad dirdynnol o weld ei fam yn suddo dan orthrwm cyni ac unigrwydd. Ar ben hynny wedyn yr ysictod o'i gweld hi'n cael ei chymryd i ffwrdd a'r neilltuaeth ohoni am ddeng mlynedd ar hugain olaf ei bywyd dioddefus yw cnewyllyn y boen yn y briw hwnnw.

Archwilia'r hanes yn ei gerdd fawr gyntaf, sef 'Y Briodas'. Prif gymeriad y bryddest yw'r wraig. Mae drama'r gerdd yn ymestyn o 1900 (gan oedi yn 1910) hyd 1920 – sydd, fel y sylwodd Menna Baines, yn cyfateb yn fras i'r amser rhwng marwolaeth gŵr Margaret Jane Pritchard (1904) a'i chymryd hi i Ysbyty Gogledd Cymru (1923). Canolbwyntia Caradog Prichard ar y wraig; y newid graddol yn ei hymddygiad hi yw ei ddiddordeb ac achosion y newid hwnnw. Hyhi yw'r unig fod dynol yn y gerdd; y mynydd, yr afon, yr ywen, yr ysbryd yw'r lleisiau eraill – ond gellid dadlau mai lleisiau yn ei phen hi yw'r rhain hefyd. Egyr y gerdd yn y gwanwyn gyda llais y wraig, a hyhi sydd yn cloi'r gerdd yn y gaeaf ac yn y nos.

Yn y caniad cyntaf dramateiddir y ddamwain sy'n lladd y gŵr ifanc yn y chwarel a sonnir am 'affwys ehangddu'r ymwahaniad'. Yma, wedyn, yn y gerdd gynnar hon gwelir y wraig yn cymysgu'i gweddwdod a'i chrefydd – ffurf ar Gristnogaeth sydd, fel petai, yn ymhyfrydu yn ei delweddau mwyaf gwaedlyd:

> Af eto ar fy neulin i geisio nawdd y Dwylo
> A estyn Ef pan ddelo awr greulon cario'r groes.

Mae'r wraig weddw ifanc yn cyplysu'r gor-grefyddolder hwn a'i rhywioldeb nes bod ei chredoau arbennig hi yn gweithio yn erbyn dyfodol ei chorff:

> O Dduw, bydd heno'n seliwr a thyst llw mwya' mywyd
> I garu 'ngŵr â serch di-bleser gweddwdod trist,
> A phara'n bur i'r diwedd er fflam pob rhyw ddihewyd
> Yn enw y Fair ddihalog a anodd gynt dy Grist.

Afraid dweud bod hyn yn arwain at argyfwng yn ail ran y gerdd pan awgrymir yn gynnil iawn fod y fenyw wedi cael ei themtio – a bron wedi ildio – i dorri'i llw o ffyddlondeb i'w gŵr marw. Sonia Saunders Lewis am gynnen

> . . . rhwng ewyllys ac atal nwyd, rhwng dewisiad annaturiol a dyheadau gwrthodedig. Enghraifft arall o'r drwg a ddeillia o ladd greddfau.

Yn y caniad olaf gwêl y wraig ei gŵr yn dychwelyd ati. Y cam nesaf fydd y weithred dreisiol o gymryd y fenyw i ffwrdd, ei neilltuo oddi wrth gymdeithas, ei rhoi hi mewn 'gwallgofdy'.

Yn ei lythyron – ac eto, Menna Baines a nododd hyn gyntaf – defnyddiai Caradog Prichard y gair 'gwallgofdy' bron bob tro, ond, fel y cawn weld, 'seilam' yw'r gair yn *Un Nos Ola Leuad*. Cyfeiriai at y lle fel 'uffern' dro ar ôl tro. Honasai'i fam iddi gael ei churo gan y nyrsys a barn Caradog Prichard oedd fod gwallgofdy yn 'warth ar wareiddiad'. Ond cyn iddi fynd i'r ysbyty bu mam y llenor yn byw ar ei phen ei hun mewn tlodi llwm. Ysgrifennodd at Morris T. Williams:

> Nid oes ganddi [ei fam] ddim i wnio, na dim i'w darllen ond y Beibl, ac mae'n darllen cymaint ar hwnnw, nes wyf yn credu ei fod yn mynd ar ei hymennydd. Nid oes yna'r un

> dalen yn y tŷ ond y Beibl. Y mae wedi llosgi popeth ond hwnnw.

Beth bynnag am fam y llenor, mae popeth yn y bryddest yn awgrymu bod y wraig weddw yn dioddef o ryw obsesiwn ffanatigaidd ynglŷn â'i chrefydd. Mae hwn yn bwynt gwerth ei ystyried yng ngoleuni'r hyn sydd gan Russell Davies i'w ddweud am grefydd ac anhwylderau meddyliol:

> Religion, as we have seen, sometimes intensified mental instability . . . religion itself not only coloured the problems of an individual, it created new fears. Fears of God's revenge, of the fallen nature of man, of Hell, were real anxieties for a number of individuals.

Dilyniant i 'Y Briodas' yw 'Penyd'. Oni welodd y beirniaid eisteddfodol hynny roedd hi'n ddigon amlwg i'r beirniaid llenyddol. 'Yn wir', meddai Elsbeth Evans,

> y mae'r bryddest hon yn debyg i rywbeth wedi ymestyn, megis elastig, o'r bryddest gyntaf.

Ond a bod yn deg fe newidiodd Caradog Prichard y gerdd gyntaf drwy adael y caniad olaf o'r fersiwn eisteddfodol allan. Yn ei ragair i *Canu Cynnar* dywedodd fod 'Y Briodas' a 'Penyd' 'i bob pwrpas (ond yr Eisteddfodol bwrpas) yn un gerdd'.

Cyflwynir y wraig y tro hwn yn y gwallgofdy gan brolog, sef llais nyrs yn siarad â'r ymwelydd. Yn y caniad agoriadol hwn bachir y gerdd hon wrth gynffon yr un flaenorol:

> Dywedant mai poeni ar ôl ei gŵr
> A'i gyrrodd hi, druan, o'i cho'.

Yng ngweddill y bryddest y wraig sy'n siarad neu'n ymsona, ac eithrio'r epilog lle deuir yn ôl at y nyrs. Camp y gerdd yw'r ffordd y mae'r bardd yn cynnal yr un llais hwn, y llais unig, gan gyfleu cyflwr meddwl dioddefus heb lethu'r darllenydd. Llwydda i wneud hynny drwy amrywio mydr y caniadau, a dyna yn wir yw gorchest y gerdd.

Bu Caradog Prichard yn ffodus yn ei feirniaid eisteddfodol y flwyddyn honno (Gwili, Rhuddwawr, Wil Ifan) oherwydd dyma gerdd 'dywyll' os bu un erioed. Nid oes modd ei 'deall' i gyd oherwydd ymgais ydyw i gyfleu bywyd mewnol stormus, erchyll. Rhaid ei hamgyffred ar lefel reddfol a'i gwerthfawrogi am ei hawyrgylch, ei theimlad a'i 'cherddoriaeth', ac am unwaith yn hanes yr Eisteddfod bu'r beirniaid yn ddigon hirben i wneud hynny. Dywedodd Wil Ifan, er enghraifft:

> Y mae'r darllenydd yn barod i wrando ar y bryddest heb fod unrhyw angen dyfalu a dychmygu beth sydd gan y bardd . . . y mae pob cân sydd yn y gyfres, yn ei ffordd ei hun, yn hynod bwerus.

A deallai Gwili nad oedd y wraig yn gweld mwy nag 'ysbeidiau o eglurder synnwyr'.

Ni ellir ymgroesi yma rhag gweld yn y bryddest hon sylfeini'r darnau 'barddonol' o *Un Nos Ola Leuad*. Yr un yw amcan y ddau destun, sef cyflwyno meddwl oddi-ar-gledrau mewn ffordd farddonol ac 'arddulliedig', hynny yw, mynegi'r anfynegadwy.

Asia'r caniad sy'n dechrau 'Ha! dacw fo'n dwad i sbonio pam' wrth yr un olaf yn 'Y Briodas', 'Ddoist ti o'r diwadd, Risiart annwl', yr un yw'r thema a'r mesur.

Ond yr adran fwyaf ystyrlon yw 'Ei hafod yw Bryn Dioddefaint'. Yma mae Caradog Prichard yn dangos ei allu i'w uniaethu'i hun yn llwyr â thrigolion y 'gwallgofdai', heb 'sawyr elusen ar ei gydymdeimlad'.

> Nid oes o rifedi'r cenhedloedd
> Na welodd yr hil ar ei thaith,
> Ond Plant Dioddefaint yn unig
> A ddeall, a sieryd ei hiaith;
> Chwychwithau, bwy bynnag a'm gwrendy,
> Pan glywoch ddieithrwch fy nghri,
> Nac ofnwch fy llais, ond gwybyddwch
> Mai plentyn o'r hil ydwyf i.

Yn 'Y Gân Ni Chanwyd' mae'r ffocws yn newid, ond yn gam neu'n gymwys mynnaf weld y bryddest hon fel dilyniant i 'Y Briodas' a 'Penyd'. Er nad oes sôn am blentyn y wraig a'r chwarelwr marw yn 'Y Briodas' mae rhywun yn ymweld â'r weddw yn 'Penyd' – onid ei phlentyn yw hwn er nad yw hi'n ei adnabod? Ac onid y mab hwn, wedi tyfu yn ddyn, wedi heneiddio, yw'r hen ŵr yn 'Y Gân Ni Chanwyd'? Mab y wraig wedi etifeddu'i phroblemau hi ac yn cael ei hudo gan y llyn angheuol. Unwaith eto gwelaf y rhan fwyaf o'r gerdd hon fel ymgais i gyfleu '[t]ymhestlog ymchwydd bron', 'A cheisio'i ganu a'r gwefusau'n cau'.

Yng nghanol y gerdd saif un ddelwedd fawr ddirgel ond Proteaidd a benywaidd. Gofynnir 'A phwy yw'r ddieithr hon ar dywyll wedd / Y sphincs gyfriniol yn fy rhithlun chwim?' Sylwer taw dim ond 'ar wedd' y sphincs y mae hi. Yna mae'n symud i mewn ac allan o amgyffrediad yr hen ŵr drwy newid siâp. Ac eto, 'Boed rith neu bydredd, nid llwyr ddieithr yw, / Cynefin wyf â threm ei llygaid gwyw'. Yn nes ymlaen cyfeirir ati fel y Fam. Mam Natur, efallai, Y Fam Ddaear, os mynnir, ond mae'n amhosib derbyn y gerdd hon heb y ddwy bryddest flaenorol. Dyma wraig weddw 'Y Briodas' wedi mynd yn un ag elfennau eraill y gerdd honno, chwaraewyr eraill y ddrama; y mynydd, yr ywen, yr afon a'r ysbryd, wedi mynd yn un â natur; mewn geiriau eraill, wedi marw. Ond mae'n dal i fyw yng nghof ei mab, yr hen ŵr, er nad yw ef yn ei hadnabod hi – yn union fel nad oedd hithau yn ei adnabod ef, yr ymwelydd yn 'Penyd'.

Mae'r ddelwedd hon yn ein paratoi ar gyfer Brenhines y Llyn Du *Un Nos Ola Leuad*, delwedd symudol, gyfnewidiol arall; yn famol, yn fynegiant o 'synhwyrau cloff', ac yn angheuol. Hudir yr hen ŵr yn y gerdd hon at y llyn, yn union fel yr hudir y gŵr sy'n siarad yn *Un Nos Ola Leuad* (ac mae lle i gredu ei fod yntau'n hen, fel y dengys Menna Baines) at y Llyn Du. Yr un gŵr sydd yn y gerdd ac yn y nofel i bob pwrpas.

Fe'm cyhuddir o ystumio'r deunydd at fy mhwrpas, diau, ond nid yw'r cerddi yn gwneud synnwyr ar eu pennau'u hunain. Ar ei phen ei hun hawdd gweld 'Y Gân Ni Chanwyd' fel rhai o dudalennau 'o fymbo-jymbo' Caradog Prichard, chwedl Dafydd Glyn Jones, eithr o'i darllen fel rhan o drioleg ynghyd â'r 'Briodas' a 'Penyd' ac o gymryd y cerddi hyn a 'Terfysgoedd Daear' fel rhagfyfyrdod ar gyfer *Un Nos Ola Leuad*, mae 'Y Gân Ni Chanwyd' yn aelod hanfodol o un cyfanwaith organig a dyfodd allan o ddychymyg dwfn Caradog Prichard.

Rhan o'r un weledigaeth felly yw 'Terfysgoedd Daear', yn wir yr un ffigur sydd yma â'r hen ŵr yn 'Y Gân Ni Chanwyd' a'r gŵr sy'n siarad yn *Un Nos Ola Leuad*. Mae hon yn bont rhwng y pryddestau eraill a'r nofel.

O ddarllen rhai o sonedau 'Terfysgoedd Daear' rhaid cydsynio â Dafydd Glyn Jones taw ofn rhyfel yw un o'r ffactorau sy'n gyrru'r adroddwr at y llyn yn hytrach na'r rhesymau a roddodd Caradog Prichard ei hun yn ddiweddarach, sef taw 'catharsis' oedd y gerdd, ac adwaith i argyfwng personol. Rhaid cyfaddef hefyd fod y dilyniant hir sy'n ystyried gwahanol ddulliau o hunanladdiad yn dwyn i gof gerdd ddoniol Dorothy Parker yn *Résumé*. Ac eto, y bryddest ddigoron hon yw'r rymusaf a'r agosaf at yr hyn oedd i ddod yng nghyflawnder yr amser yn y nofel. Ceir yma ragolwg ar *dramatis personae* brith a rhyfedd *Un Nos Ola Leuad* yn Huw'r Pant, Bob y Fron a Hapi Dol, yr hunanleiddiaid, pobl yn mynd o'u 'coua'. Mae'r gerdd yn ymestyn ymlaen at greaduriaid ysgymun Pentra ac yn ymestyn yn ôl at Blant Dioddefaint 'Penyd' wrth i'r bardd gydnabod bod y byd yn gwahaniaethu 'rhwng claf ac iach'; ond nid felly angau. Fel y dywed Menna Baines:

> O safbwynt portreadu gwallgofrwydd, y cwestiwn a gwyd yn y bryddest hon yw pwy sy'n wallgof, ai'r adroddwr ai pawb sy'n dewis llusgo byw mewn byd mor orthrymus ac annheg?

Yn wir, mae gweithiau dwysaf a chryfaf Caradog Prichard i gyd yn archwilio effaith y byd 'gorthrymus ac annheg' ar gyflwr rhai unigolion.

II

Ni pheidiodd Caradog Prichard â chanu cerddi am weddill ei oes ond bu rhai'n ei annog i arfer ei ddoniau newyddiadurol yn Gymraeg mewn rhyddiaith. Yn 1943, fel 'Pte P' cyhoeddodd ei atgof *'Rwyf Innau'n Filwr Bychan* sy'n awgrymu bod y profiad o syllu i safn angau ar faes y gad wedi'i wyro oddi wrth y syniadau hunanleiddiol y bu'n eu coleddu ym myfyrdod 'Terfysgoedd Daear'. Yn wir, mae popeth yn yr atgof hwn yn rhoi'r argraff i'r darllenydd fod y bardd wedi'i fwynhau'i hun yn rhyfeddol yn y fyddin a bod agosrwydd marwolaeth wedi codi'i ysbryd a chodi'i galon.

> Yn ôl yma, yng ngolau trydan a dwndwr croch y Naafi, uwch fy seithfed cwpanaid o de, erys yr ysgafnder ar fy ysbryd. Yn wir, y mae'n rhywbeth a fu'n dechrau tonni drosof er pan gefais fy mhapurau dair wythnos yn ôl. Cyrhaeddodd ei benllanw allan ar y sgwâr yma dan olau'r lleuad. Ni ddaeth unwaith bigo cydwybod i'm poeni. Na chas at ryfel. Na chas at elyn. Nac ofn marw. Dim ond cas at fywyd. Bûm farw unwaith, a chefais fyw drachefn. 'Does dim yn cyfrif ond hunan. Hunan yn cael byw o'r newydd, heb addo dim, heb ddisgwyl llawer. Dim ond cael byw, yn amhersonol, heb gariad, heb gas. Rhaid imi beidio ag edrych yn rhy hir ar y lleuad dri-chwarter llawn yma!

(Sylwer ar y defnydd o'r lleuad – yn uwch i fyny ar yr un tudalen hefyd ceir 'Gwelais yr hen ddyn yn y lleuad yn chwerthin'.)

Ceir tystiolaeth yn ei lythyron at ei wraig yn ystod y rhyfel iddo weithio ar nofel yn Saesneg yn dwyn y teitl 'David' a chael blas arni. Ond, hyd y gwyddys, ni ddaeth dim ohoni. Ar un ystyr, roedd y nofel yng ngyrfa Caradog Prichard yn hollol anrhagweladwy. Ystyrier y pryddestau eisteddfodol a'u hiaith hynod o gymhleth a llenyddol a'u fframweithiau crefftus a ffurfiol o'u cymharu â rhyddid carlamus a thafodieithol y nofel. Ac eto i gyd, y mae pob un o'r pryddestau fel petaent yn paratoi'r ffordd i'r nofel. O edrych arnynt fel hyn mae'r nofel yn anochel, yn uchafbwynt datblygiad di-droi-nôl. Gellir gweld y cerddi hir fel penodau mewn un ymchwil a myfyrdod hir a dwfn, y naill ran yn arwain yn naturiol ac yn rhesymegol at y llall: 'Y Briodas' (gweddwdod a dieithrwch y fenyw/fam), 'Penyd' (y fam yn colli'i phwyll), 'Y Gân Ni Chanwyd', 'Terfysgoedd Daear' (dioddefaint y mab/dyn, ystyried hunanladdiad) – ac yna'r nofel.

Yn 1954 anfonodd lythyr at Kate Roberts yn sôn am nofel a oedd ganddo ar y gweill. Dywedodd:

> Y syniad y tu ôl iddi yw myfyrdod brodor wedi dychwelyd i'w fro ac yn ail-fyw ei blentyndod mewn un daith o ychydig oriau ar noson olau leuad yr hen fro.

A dyna mewn brawddeg gnewyllyn a chynllun a theitl un o'r nofelau mwyaf cymhleth ei strwythur a sgrifennwyd erioed. Dechreuasai arni, meddai yn yr un llythyr, 'ryw ddau aea'n ôl a'i gado heb ei gorffen'. Os gwir ei air, yna fe ddechreuodd y nofel ymffurfio yn ei ben cyn i'w fam farw ond mae'n arwyddocaol taw yn 1954 yr aeth ati o ddifri – sef blwyddyn marw'i fam. Mae hyn yn awgrymu 'cyfnod cario' sy'n rhychwantu cyfnod o wyth neu naw mlynedd ar gyfer y nofel ei hun. Ond mae'r myfyrdod yn ymestyn yn ôl i'r gerdd golledig a gollfarnwyd ar gorn ei 'realaeth' gan Cynan yn 1924, a chamau mawr tuag at lam y nofel oedd pob un o'r pryddestau.

Ceir pont ddiddorol arall rhwng y cerddi hir ac *Un Nos Ola Leuad* ar ffurf drama radio a ddarlledwyd o Abertawe yn 1958, sef 'Y Daith yn Ol' (dim acen grom, ni phoenai Caradog Prichard am acenion). Mae'r ddrama fer hon yn amlwg yn rhagadlais o'r nofel. Yn ei hastudiaeth ar waith Caradog Prichard neilltua Menna Baines bennod gyfan i thema alltudiaeth yng ngwaith y llenor ac amlygir y thema honno yn 'Y Daith yn Ol'. Nid wyf yn cyd-fynd â'r ddadl aneglur fod alltudiaeth rywsut yn gwneud lles i lenorion. Fel arfer enwir Joyce, Nabokov a Conrad fel enghreifftiau er mwyn ategu'r ddamcaniaeth aneglur gan anghofio'n fwriadol am lenorion megis

Proust, Pessoa, Kafka, Flaubert ac Emily Dickinson (nid oes diwedd i'r rhestr) na symudasant ymhell o'r llefydd y'u ganed.

Yn 1944 yn ei lyfr ar Joyce, sef *Yr Alltud*, heriodd Aneirin Talfan Davies lenorion Cymru i fod yn fwy uchelgeisiol a'u cynghori i feddwl am alltudiaeth fel meddyginiaeth chwerw. Pan gyhoeddodd Talfan Davies y llyfr hwnnw buasai Caradog Prichard yn cymryd y feddyginiaeth ers sawl blwyddyn. Ond nid yr alltudiaeth ddaearyddol sy'n ysgogi gweithiau fel *Finnegan's Wake* ac *Un Nos Ola Leuad* eithr yr alltudiaeth fewnol, yn yr hunan. Yr un alltudiaeth a ysgogodd y nofel Bragaidd a sgrifennwyd gan Franz Kafka, brodor o Brâg, ym Mhrâg, sef *Y Prawf*.

Wrth i'r ddrama ddechrau fe welir yn syth taw alltud yn dychwelyd sydd yma a bod y llenor yn defnyddio'r un elfennau ag a ddisgrifiodd yn ei amlinelliad o'r nofel yn ei lythyr at Kate Roberts. Gellir edrych ar y ddrama fel fersiwn cynnar o'r nofel, efallai; yn sicr bu'n gweithio ar y ddau destun tua'r un pryd. Mae dechrau'r ddrama yn elwa ar gyfnodau ym mywyd y llenor na chyffyrddir â hwy yn y nofel; a dweud y gwir, â yn ôl i sawl 'Hen fro' cyn cyrraedd Bethesda ei blentyndod. Pwy yw'r adroddwr a'r prif gymeriad? Nid yw'r ateb yn un hawdd. Dyma ddarn o ddechrau'r ddrama:

Llais 1: Hylo, Caradog ynte?
Caradog: Nage. Rydach chi wedi methu.
Llais 1: O maddeuwch i mi.
Caradog: Popeth yn iawn.
Llais I (*after pause*): Ond dew, mi rydach chi'n debig iddo fo. Ydach chi'n siwr mod i'n methu?
Caradog: Ydw. Yn eitha siwr.

Mae'r sgript – peth na ellir ei glywed ar y radio – yn newid o 'Adroddwr' at 'Caradog' ac yn ôl at 'Adroddwr'. Yn y chwarae hefyd cymherir hunanwadiad Caradog â Phedr yn gwadu Crist. Yna, cwyd llais arall:

Llais II: Naddo debig iawn, chanodd y ceiliog ddim. Ac am reswm digon da. Doeddet ti ddim yn gwadu neb. Roeddet ti'n eitha iawn. Nid

	Caradog oedd dy gyfaill yn ei weld wrth y bar.
Adroddwr:	O, felly, wir? A phwy'r ydw i'n cael y fraint o siarad?
Llais II:	Fi ydi Caradog. Fi sy'n gwybod y ffordd yn ôl . . .

Mae'r holl wadu a hollti a symud a dyblu'r hunan yma, wrth gwrs, yn codi cwestiynau ynglŷn â'r defnydd o ddeunydd hunangofiannol mewn llenyddiaeth, ac yn bwrw amheuaeth ar y cysyniad o awduraeth ac yn dadsefydlogi hunaniaeth. Try Llais II – yn syth ar ôl iddo honni taw efe yw Caradog – at yr Adroddwr gan ei gyfarch fel 'Caradog'. Anoga ef i gofio camau'i fywyd gan ei dywys drwy'r gorffennol. Mewn geiriau eraill, mae'r Llais yn *doppelganger*, yn ddwbl, a dyma un o fotiffau hynaf llenyddiaeth y byd sydd i'w ddarganfod yn arwrgerdd Gilgamesh, y Beibl, y Mabinogi, Shakespeare, Cervantes, Diderot, Dostoiefsci ac sydd yn dramateiddio ein natur ddeublyg, yr ymddiddan mewnol rhwng yr hunan a'r hunan, y bywyd mewnol deallusol a'r bywyd allanol a chyhoeddus. Ar wahân i hynny fe welir rhagolwg yma ar adroddwr di-enw deublyg (hen ac ifanc) *Un Nos Ola Leuad*.

Cydatseinia'r ddrama a'r nofel mewn sawl lle. Digon hawdd gweld y llenor yn crynhoi ei obsesiynau, ei weledigaethau a'i ddigwyddiadaeth yn y ddrama hon ar gyfer y nofel i ddod – a oedd, fel y dywedwyd, ar y gweill ganddo ar yr un pryd â'r sgript hon.

Wrth ddynesu at Fethesda fe groesewir yr Adroddwr, Llais II a llais arall, Llais III (fe'n hatgoffir o'r bachgen dienw a Huw a Moi) gan gôr –

Adroddwr:	Côr o'r Sowth. Coliars ar streic, wedi dod o'r wlad bell i hel eu tamaid. A'n calonnau ninnau'n gwaedu drostyn nhw; calonnau haelfrydig hogiau bach; hogiau bach Bethesda a'r gair streic yn ddychryn ac yn ddagrau iddyn nhw.

Yn y fan hon mae'r ddrama yn bachu yn y nofel, ac ar yr un pryd mae ffaith a ffuglen yn gorgyffwrdd ac eto'n gwahanu. Cawn gwrdd â chôr y Sowth yn y nofel lle dramateiddir 'calonnau haelfrydig hogiau bach' a'u hymateb i'r côr yn fanylach ond chawn ni ddim clywed am effaith y gair 'streic', a oedd mor boenus ei gynodiadau yn y fro honno, ar yr hogiau. Mae'r ymadrodd 'yn ddychryn ac yn ddagrau' yn awgrymu'n gryf taw plant y 'bradwyr' oedd yr hogiau hyn, neu iddyn nhw gael eu trin (hynny yw, eu cam-drin) fel plant bradwyr – boed eu tadau'n fradwyr neu beidio. Poenai Caradog Prichard ei fod yn fab i fradwr, hwyrach y cawsai'i hambygio fel un ohonynt yn yr ysgol, er bod ymchwil Menna Baines yn dangos yn weddol glir na thorrodd tad Caradog y streic. Beth bynnag am hynny, ni chodir y sgwarnog yn y nofel. Wedi'r cyfan, nid Bethesda yw lleoliad *Un Nos Ola Leuad*.

Ar ddiwedd y sgript myfyria'r Adroddwr:

> Ydi, mae'r daith i fyny'r Nant yn hir a gwell rhoi'r gorau iddi yn y fan yma. Mae'r niwl a'r caddug yn gordoi'r Hen Ddyffryn yn union fel roeddan nhw pan ddois i ar daith yn ôl yma o'r blaen. Maen nhw fel pe'n dweud wrtha i nad oes yma ddim croeso i mi mwy, ac mai ei throi hi'n ôl am Lundain sydd orau i mi. Oddi yno'n unig y medra i weld yr Hen Ddyffryn yng ngolau dydd bellach. O Baker Street y ca i'r olwg orau ar Lôn y Popty. Ac yn Charing Cross y caf stelc ar Groeslon y Gorlan mwy.

Gwelir tuedd ymhlith beirniaid y nofel yn gyffredinol i gymryd yn ganiataol (ac i **ddweud**) taw Bethesda **yw** Pentra, taw Caradog Prichard yw'r bachgen/adroddwr, taw ei fam yw'r Fam yn y nofel. Ond mae'n werth pwysleisio, cyn mynd ymhellach, nad drych i ran o ogledd Cymru ddechrau'r ganrif mo'r nofel, er mor ogleddol – ac yn benodol Bethesdaol – yr ymddengys *Un Nos Ola Leuad*. Yn ei erthygl ddireidus ond treiddgar mewn mannau, dadleua Simon Brooks taw nofel yn ymwneud â Llundain yw *Un Nos Ola Leuad*; serch hynny, defnyddia'r enw Bethesda drwy gydol ei ysgrif wrth iddo drafod digwyddiadaeth a chymeriadaeth stori Pentra. Nid nofel blwyfol mohoni. Ei gwir diriogaeth yw'r anymwybod. Nid Bethesda yw Pentra *Un Nos Ola Leuad*. Mae Bethesda yn lle daearyddol, penodol yn y byd, ond mae'r enw Pentra yn fwriadol amhenodol yn y **pen**, mae'n gyffredinol, yn unrhyw bentre a phob pentre, yn y cof, yn y gorffennol. Fel 'Pobun' mae'n enw sy'n fwriadol anghyfewin. Wedi dweud hynny mae Pentra yn bentre (yn ogystal â bod yn ben tre, tre yn y pen). Mewn pentre mae'r gwahaniaeth rhwng claf ac iach yn amlwg ac yn hysbys i bawb lle mae pawb yn adnabod ei gilydd. Mae'n garchar panoptig. Fe gofir, efallai, y geiriau yn 'Terfysgoedd Daear' sy'n chwilio am

> . . . hafan oleulon
> a'r pentref lle nid oes wahaniaeth rhwng claf ac iach
> rhwng gwenau'r caredig a chuchiog weddau'r rhai creulon.

Ond mewn pentre llai delfrydol rhaid gwahanu'r *Ni* (sydd yn ein 'hiawn bwyll') oddi wrthyn *Nhw* (y bobl eraill sydd heb fod yn 'llawn llathen', hanerpan, hanercof 'o'u coua') drwy'u cadw Nhw draw, ymhell i ffwrdd a'u cadw'n ddistaw, eu tawelu (gyda 'thawelyddion') a'u rheoli yn y pen draw drwy'u cloi mewn seilam.

Yn y nofel ceir beirniadaeth ar fywyd pentrefol, boed hynny'n ymwybodol neu'n anymwybodol. Nid yw'r Pentra yn dref nac yn ddinas – nid Llundain amhersonol mohono – mae Pentra yn gylch cyfyng. Dieithr yw'r byd y tu draw iddo, er bod pobl yn mynd ac yn cael eu llyncu gan y byd mawr hwnnw – yn enwedig gan y rhyfel a chan y Sowth. A daw ambell greadur o'r byd hwnnw, Wmffra Tŷ Top, er enghraifft. Ond cylch cyfyngedig i brofiad cul y llanc yw byd Pentra. Ffenestr i fywyd mewnol (byd amgen) y prif gymeriad, yr adroddwr a geir ym Mhentra.

Dangosodd Menna Baines fod agwedd Caradog Prichard tuag at Fethesda yn gymhleth ac yn baradocsaidd, a dweud y lleiaf. Fel newyddiadurwr yn Llundain roedd Caradog Prichard 'yn chwyrn, er enghraifft, yn erbyn streicio. Nid oes amheuaeth ei fod yn credu'n gryf yn yr angen am ddosbarth uwch o bobl mewn cymdeithas i'r gweddill gael edrych i fyny ato . . .' Ond mae Menna Baines yn ein hatgoffa hefyd:

> Er bod Streic Fawr y Penrhyn wedi magu arwyddocâd mythaidd bron yn y traddodiad radicalaidd Cymreig, mae'n hawdd anghofio am yr haen o Dorïaeth oedd (ac sydd) yn perthyn i'r dosbarth gweithiol yn ardal Bethesda.

Os cofiai'i hun fel un o 'hogiau bach Bethesda a'r gair streic yn ddychryn ac yn ddagrau iddyn nhw', nid oedd hynny yn gwarafun i'r newyddiadurwr fod (a dyfynnu Menna Baines eto) yn

> [F]renhinwr, eglwyswr, dyn yn meddwi ar seremonïaeth ac un oedd yn ymagweddu fel Tori traddodiadol.

Anwadal, a dweud y lleiaf eto, oedd ei agwedd tuag at yr iaith yng Nghymru a'r syniad o hunanlywodraeth a thuag at fudiadau fel Plaid Cymru a Chymdeithas yr Iaith, ac ar drothwy Etholiad Cyffredinol Chwefror 1974 anogodd y Cymry i bleidleisio i'r Torïaid. Mewn erthygl yn y *North Wales Weekly News* un tro mynegodd ei siom ynghylch siarad 'gor-Ryddfrydol' am y sipsiwn a'r 'cymrodyr croenddu'. Ymfalchïai yn y ffaith fod y Frenhines wedi eistedd yng Nghadair Llanelli.

Ond ni welir dim o'r nodweddion asgell dde hyn yn y nofel. I'r gwrthwyneb, fel y cawn weld yn nes ymlaen. Gwir y dywedodd Dafydd Glyn Jones amdano:

> O bob llenor Cymraeg o sylwedd yn ein canrif ni, [Caradog Prichard] yw'r mwyaf rhydd o hualau egwyddorion sefydlog.

Mewn darn o hunangofiant anghyflawn anghyhoeddedig yn Saesneg yn dwyn y teitl '*On Looking into my Welsh Mirror*' ysgrifennodd Caradog Prichard:

> You know quite well that you can only do some creative work in Welsh when you are away from Wales and sitting **in your own imaginary native land between the four walls of your London home**. [*Ychwanegwyd y pwyslais.*]

Dyma ailadrodd diwedd 'Y Daith yn Ol'. Dyna pam nad yw *Un Nos Ola Leuad* yn hunangofiant a pham nad Bethesda yw Pentra.

Ond rhyfyg fyddai honni nad oes cysylltiad o gwbl rhwng cof Caradog Prichard a'i lên. Dywedodd Dafydd Glyn Jones:

> Y mae gan y rhan fwyaf o weithiau llenyddol da, ni waeth faint o ddefnydd hunangofiannol a aeth i mewn i'w gwneuthuriad, fesur o fodolaeth annibynnol ar brofiad eu crewyr, fel bod yna ddigon i'r beirniad roi ei ddannedd ynddo heb orfod dweud dim byd am bersonoliaethau neu gymhellion calon yr awduron, os yw'n swil o wneud hynny. Ond nid felly y mae gweithiau Caradog Prichard. **Maent yn codi mor uniongyrchol o'i brofiad go-iawn fel ei bod yn amhosib, wrth geisio'u trafod, osgoi ei stori bersonol ac amgylchiadau ei fywyd**. [*Ychwanegwyd y pwyslais.*]

Y paradocs yw fod nofel Caradog Prichard yn greadigaeth dychymyg dwfn ac yn adlewyrchiad pur agos ar stori'i blentyndod ei hun. Wrth ddarllen y nofel rhaid dal y paradocs hwn yn y meddwl drwy'r amser. Ond, wedi dweud hynny beth yw hunangofiant ond ffrwyth y dychymyg dwfn? Yn ddiweddar pan ofynnwyd i'r pianydd Alfred Brendel a fyddai'n sgrifennu'i hunangofiant atebodd: 'Never. The most mendacious *genre*'. Eglura Paul de Man natur y berthynas lithrig rhwng ffaith a ffuglen fel hyn:

> [A]ny book with a readable title page is, to some extent, autobiographical.
>
> But just as we seem to assert that all texts are autobiographical, we should say that, by the same token, none of them is or can be.

Honnai Caradog Prichard iddo geisio gwneud amdano'i hun un tro drwy'i daflu'i hun ar gledrau'r rheilffordd danddaearol yn Llundain ond yn ôl ei wraig go brin fod unrhyw wirionedd yn ei stori. Ond roedd hi'n stori dda:

> Roeddwn bryd hynny yn 34 mlwydd oed . . . Dyma hefyd, sef 34 . . . yr oed a gyrhaeddodd fy nhad pan laddwyd ef yn y chwarel . . .

Gwelir yma, efallai, y bardd yn chwilio am farddoniaeth yn ei fywyd, y newyddiadurwr yn chwilio am sgŵp, y nofelydd yn chwilio am naratif yn y ffeithiau. Ac mae'n demtasiwn gogleisiol i chwilio am gynseiliau'r cymeriadau a'r digwyddiadau rhithiol yn y nofel er mwyn **profi** bod perthynas rhwng y byd a ffuglen. Fel y gwnaeth William Amos yn *The Originals* a dod o hyd i'r bobl go-iawn y tu ôl i Sherlock Holmes, Miss Havisham, Alice a Heathcliffe. Ac fel y gwnaeth George D. Painter gyda chymeriadau Proust. Byddai'n hawdd ac yn hwyl gwneud peth tebyg gyda chymeriadau *Un Nos Ola Leuad*. 'Nain Pen Bryn' oedd enw Caradog ar ei nain ei hun, er enghraifft. Ceir rhai enwau ar y gofgolofn ym Methesda sy'n cyfateb i rai ymhlith y rhestr o'r bechgyn a laddwyd yn y nofel (t.99). Cyfuniad o Canon R. T. Jones, Glan-ogwen, Bethesda, Canon Enoch Jones, Llundain a G. M. Ll. Davies oedd Canon Jones y nofel. William Hughes (Wil Cae Star) ac Elis Pritchard (Buns) sydd wrth wraidd y darlun o Wil Colar Starts fel y dangosodd ymchwil manwl Menna Baines. Ond gwell peidio â mynd ymhellach ar hyd y ffordd hon gan ei bod yn ein cam-arwain; mae natur ffuglen a natur y byd yn wahanol i'w gilydd a rhaid cofio hynny. Yn wir, yn achos llenor hunangofiannol fel Caradog Prichard mae tuedd i orbwysleisio'r gyfatebiaeth rhwng bywyd y llenor a'i waith.

III

Mae'n bryd troi at nofel Caradog Prichard a cheisio'i derbyn ar ei thelerau'i hun.

Yr argraff gyntaf a gaiff y darllenydd, fel arfer, yw fod y nofel yn anniben ac nad oes dim cynllun iddi a bod yr adroddwr yn chwalu meddyliau blith draphlith mewn ffordd ddryslyd. Dim ond bob yn dipyn bach y sylweddolir bod yr adeiladaeth yn un hynod o gyson a chywrain a gwneuthuredig iawn. Gwnaed rhai o'r sylwadau mwyaf cynnil a chraff ar y nofel gan Helena Kaut-Howson a fu'n gyfrifol am addasiad llwyfan o'r nofel yn Saesneg ar y cyd â John Owen. Mewn cyfweliad dywedodd:

> Dyma ran o dwyll celfyddyd Caradog Prichard . . . gwnâi symudiad troellog y plot i mi deimlo fod y nofel fel rhyw anghenfil trwsgl yn tynnu fy ngwallt. Ar yr olwg gyntaf mae'n ymddangos fel nofel bicarésg . . .

Dyna'r argraffiadau a geir ar y dechrau, 'trwsgl', 'picarésg'. Ond dywed Kaut-Howson hefyd:

> Rhaid dweud i ddechrau mai yn ei harddull y mae cryfder y nofel. Mae'n delynegol yn hytrach na dramatig.

Mae llinell naratifol *Un Nos Ola Leuad* yn un o'r cymhlethaf a'r cyfoethocaf sy'n bod, yn enwedig mewn nofel fer, ac am hynny nid yw'n **teimlo** fel nofel fer o gwbl. Plyg yn ôl arni hi'i hun dro ar ôl tro, try mewn cylchoedd, ffrwydra gwreichion o storïau bach o un cnewyllyn sy'n mudlosgi drwy'r amser. Fel y dywed yr adroddwr: 'weithia, ma rhywun yn breuddwydio'n ôl . . . A weithia ma rhywun yn breuddwydio mlaen . . .' Mae'r awyrgylch symudol hwn dan reolaeth meistr sydd wedi'i lunio fel pos mathemategol neu ddrysfa neu labrinth.

Peth sy'n hanfodol i frethyn yr awyrgylch hwn (sydd braidd yn anhreiddadwy ar y dechrau) yw'r holl enwau, yn wir holl gymeriadau'r gwaith. Heb yr enwau ni fyddai'r nofel yn debyg i'r hyn ydyw. Fel y dywed John Rowlands:

> Cyfyd llawer o hwyl y nofel (ac mae ynddi gryn dipyn o hwyl) o'r modd yr enwir ac y llysenwir pobl, nid yn unig i'w gwahaniaethu (fel Huw a Moi), ond hefyd i'w lleoli (fel Defi Difas Snowdon View), ac i'w gosod yn eu swyddi (fel Joni Wilias Barbwr). Yr hyn sy'n ddigri yw fod yma weithiau enwi dwbl. Buasid yn tybio mai Plisman fuasai'r enw ar dad Wil Bach Plisman, ond na, rhaid dweud Tad Wil Bach Plisman, a'r gair 'Tad', wrth gwrs yn rhan gyflawn o'i enw, nid yn enw cyffredin, disgrifiadol.

Ar wahân i'r prif gymeriadau a'r cymeriadau pwysig eraill yng nghanol y nofel, enwir cymeriadau ymylol sydd yn ymddangos am un olygfa fer yn unig cyn diflannu am byth, enwir eraill nad ydynt yn cymryd rhan yn y chwarae o gwbl. Hyd y gwelaf i, yn y nofel hon o lai na dau can tudalen, ceir tua 110 o enwau gwahanol, 18 o gymeriadau y cyfeirir atyn nhw heb enwau, rhestr o 20 o enwau milwyr a llongwyr a phum grŵp o bobl gydag enwau torfol (e.e. Côr y Sowth). Ceir 4 Joni gwahanol, 5 Wil, 4 Now (gan gynnwys un â thri amrywiad i'w enw), 4 Bob, 2 Huw a 2 Huws, 3 yncl a 7 tad lle mae'r 'Tad' yn mynd yn rhan o'r enw. Ni ddylid synnu bod y darllenydd cyffredin yn cael trafferth i weld ei ffordd drwy'r ddrysfa hon. Cafodd sawl beirniad broblem; sonia un am Jinni Fach Ddwl (enw nad yw'n bod yn y testun o gwbl) ac un arall am Hwmffra a Will Ellis Portar. Llithra Caradog Prichard ei hun mewn un lle, o leiaf.

Wedi dod drwy'r drysgoed o enwau hyn rhaid i bob darllenydd weithio drwy 'drefn' amseryddol hynod drofaus. Dengys strwythur y nofel fod trefn – y drefn ddisgwyliedig, y drefn drefnus – wedi'i chwalu. Yn lle naratif uniongyrchol cronolegol yn rhedeg yn llyfn o'r naill ddigwyddiad at yr un nesaf mewn amser, gan adlewyrchu datblygiad y prif gymeriad fel llinell lorweddol, yr hyn a geir yw llinell wedi'i thorri, llinell igam-ogam sy'n mynd o gam i gam mewn ffordd sy'n gallu bod yn ddryslyd ar brydiau.

Yn gyffredinol bydd gweithiau llenyddol yn amcanu at gydbwysedd rhwng clirdeb ar y naill law a dyfnder ar y llaw arall. Yn amlach na pheidio ceir tyndra rhwng y ddau gyfeiriad, ac yn achos *Un Nos Ola Leuad* mae dyfnder yn cael y llaw uchaf ar draul clirdeb, felly mae'n deg inni geisio mysgu'r edafedd cordeddog hyn.

Yn ei thraethawd ymchwil mae Menna Baines, fel John Rowlands (yn *Un Nos Ola Leuad (Caradog Prichard)*, 1997, gw. tt. 13-14) wedi 'gweithio allan' y drefn gronolegol sydd y tu ôl i'r atgofion a gyflwynir gan yr adroddwr drwy lais y bachgen. O'r awgrymiadau yn y naratif hefyd gellir dyfalu oedran y bachgen ar wahanol adegau. Mae John Rowlands yn ein rhybuddio yn ochelgar mai dim ond 'yn betrus' y gellid awgrymu trefn amseryddol y digwyddiadau, 'oherwydd er bod awgrym o oed ac amser mewn ambell bennod, nid oes dim i ddweud bod popeth mewn unrhyw bennod yn perthyn i'r un cyfnod beth bynnag'. Gyda chryn dipyn o betruster, felly, dyma gyfuno dadansoddiadau Menna Baines a John Rowlands. (Yr unig addasiad yr hoffwn ei grybwyll yw fod o leiaf ran o bennod X yn dod o flaen pennod I – yr atgof cynharaf yn ôl Menna Baines a John Rowlands – sef y darn lle mae'r bechgyn yn bwydo tabledi Yncl Now Moi i'r myncwn. Gan fod Yncl Now Moi yn cyflawni hunanladdiad yn y bennod gyntaf oni ddylai'r episod hon, o leiaf, ragflaenu'r bennod honno?)

RHIF Y BENNOD YN Y LLYFR	OED Y BECHGYN YN FRAS
XII	9
III	9
(Rhan o) X	9
I	9
II	10
X	10
IV	10
V	10
VI	11
VII	11
IX	12
XI	13
XIII	14

XIV		14
Xva	}	
VIII	}	Heb fod yn rhan o drefn amseryddol y nofel
Xvb	}	

Ar ben y cwestiwn ynglŷn â threfn yr atgofion a'r digwyddiadau (nad yw'n cael ei ddatrys yn llwyr gan y tabl uchod) ceir strwythurau eraill yn y testun. Noda Menna Baines fod

> [y] pedair ar ddeg pennod storïol . . . yn rhannu'n ddau grŵp cyfartal o saith pennod: un grŵp o benodau tameidiog, yn neidio o atgof i atgof ac yn ôl a blaen mewn amser, a grŵp arall o benodau mwy cyfan, cymharol ddidoriad. Ym mhob un o benodau'r ail grŵp hwn, canolbwyntir, fwy neu lai, ar un diwrnod ac fe adroddir hanes y diwrnod hwnnw'n bur lawn, heb grwydro ymhell oddi wrtho.

Gan ddilyn arweiniad Menna Baines dyma arolwg ar y penodau storïol:

	Grŵp A (tameidiog)	Grŵp B (mwy cyfan)
1	Pen III	Pen XII
2	Pen I	Pen XIII
3	Pen II	Pen IV
4	Pen X	Pen V
5	Pen VII	Pen VI
6	Pen IX	Pen XIV
7	Pen XI	Pen XV

Wrth gwrs, wrth ad-drefnu elfennau'r nofel yn daclus fel hyn fe gollir holl effaith drawiadol y naratif. Mae dull Caradog Prichard o hollti, torri, plygu ac ystumio amser yn rhagredegydd i *Pulp Fiction* Quentin Tarantino (sydd yn symlach o lawer gan mai dim ond mewn tair rhan y cyflwynir y stori yn y ffilm). Yr un yw'r ias sy'n mynd trwom ni wrth weld Vincent Vega **ar ôl** iddo gael ei ladd â chlywed am falchder pawb wrth i Elwyn Pen Rhes gael y DCM **ar ôl** inni gael gwybod am ei dynged drist yn y rhyfel yn y bennod flaenorol.

Diben ystumio cronoleg fel hyn yw dangos bod y meirw yn byw yn y cof – sef yng nghof yr adroddwr. A hyd yma mae popeth yr ydym ni wedi sôn amdano yn 'digwydd' yng nghof neu ym meddwl yr adroddwr sydd 'weithia . . . yn breuddwydio'n ôl . . . A weithia . . . yn breuddwydio mlaen'. Byw yn ei atgofion y mae'r dyn hwn, fel llawer o hen, hen bobl, byw yn y gorffennol. Yn y nofel hon nid yw'r presennol yn ddim ond yn gefndir i'r gorffennol lle ceir prif ddigwyddiadaeth y naratif. Mae'n drawiadol cynifer o feirniaid sydd yn anghofio hyn ac sy'n sôn am y bachgen fel yr adroddwr. Collir holl ergyd y diwedd wrth wneud hynny.

Digwydd y stori, y 'presennol' fel petai, ar 'noson ola leuad'. Y lleuad yw ysgogydd cof yr adroddwr dienw fel y deisen sy'n ysgogi cof yr adroddwr lled-ddi-enw (fe'i henwir ryw ddwywaith mewn nofel anferth) yn *A la recherche du temps perdu*. Dro ar ôl tro fe sonnir am y lleuad yn y presennol sydd yn dwyn i gof nosweithiau tebyg yn y gorffennol (e.e. 'Noson ola leuad run fath â heno' t.24; 'a hitha'n ola leuad braf run fath â heno', t.37; 'run fath â mae hi rwan, a'r lleuad wedi mynd tu nôl i gwmwl', t.88; 'nid noson ola leuad run fath â heno, achos mis Medi oedd hi . . .' t.24). Afraid dweud taw'r lleuad, y lloer (lloerigrwydd), sy'n arwyddocáu'r llithriant rhwng rheswm ac afreswm.

Yn y nofel mae gan yr adroddwr amserlen yn y presennol hefyd. Unwaith eto rwy'n ddyledus i astudiaeth Menna Baines sydd yn dangos:

> Erbyn dechrau'r bennod ola mae'n chwech o'r gloch y bore ac erbyn iddo gyrraedd Pen Llyn Du mae'n ddigon golau i'r adroddwr fedru gweld adlewyrchiad yr awyr las yn y dŵr. Y daith unnos hon sy'n rhoi i'r nofel ei hadeiladwaith . . .

Ond mae rheswm yn yr afreswm. Daw'r dyn yn ôl i Bentra liw nos, dan orchudd y tywyllwch pan na all panopticon weithio yn effeithiol. Mae'n rhydd i gerdded o gwmpas ac i hel atgofion heb i neb ei adnabod a'i gyhuddo o fod yn lloerig, neu'n llofrudd, efallai. Er mor annwyl yw'r pentre yn ei gof a thrigolion y gorffennol ni fyddai'r presennol yn ei groesawu, ni all yr alltud ddychwelyd oherwydd dim ond y rhith, wedi'i ddelfrydu gan y dychymyg ac yn y cof, sydd yn bodoli. Mae'r gwirionedd, nad yw'r dyn yn gallu'i wynebu, yn llawer mwy peryglus a bygythiol. Mae'n un o Blant Dioddefaint sydd yn gyfarwydd â '[ch]amwri pob oes' ac sydd 'ganolnos yn agor / Pyrth cedyrn carcharau sy 'nghudd'. Mae'n dal i osgoi'r pentrefwyr fel y ceisiodd eu hosgoi ar ddiwedd ei hanesion:

> Hanner awr wedi dau oedd hi ar Cloc Rheinws wrth ola lamp pan oeddwn i'n mynd i lawr Stryd, a pob man arall yn dywyll fel bol buwch.

Y bore sydd yn ei ddal e wrth iddo gael ei adnabod gan 'y dyn hwnnw' a roes bas iddo a holi o ble roedd e'n dod. Ac mae'n ymddangos fod enw'r lle, Pentra, wedi bod yn ddigon. Pentra yw'r panopticon, y seilam nad oedd y dyn i ddianc ohono.

IV

Daw hyn â ni at amwysedd dechrau naratif y dyn hwn. O ble y daeth ef ychydig cyn iddo ddechrau siarad, cyn cyfarch Brenhines y Llyn Du? Damcaniaethir yn gyffredinol iddo ddianc o garchar neu iddo ddianc neu gael ei ryddhau o seilam.

> Ni wyddom [meddai Menna Baines] faint o amser sydd wedi mynd heibio rhwng diwedd y cyfnod a ddisgrifir a'r presennol, ond cesglir oddi wrth rai o'r cyfeiriadau at y daith ei fod yn amser go hir . . . mae'r tŷ lle ganed Nain Pen Bryn a lle cofia'r adroddwr bobl yn byw yn furddun bellach . . . Yn yr un modd, ni ellir ond dyfalu beth fu hanes yr adroddwr ers iddo gael ei ddal wrth geisio dianc o'r ardal ar ôl llofruddio Jini Bach Pen Cae ac yntau heb fod fawr hŷn na phedair ar ddeg ar y pryd.

Mewn llythyr at yr actor Huw Griffith dywedodd Caradog Prichard fod adroddwr ei nofel wedi treulio hanner can mlynedd yn 'Seilam Broadmoor' am ladd Jini Bach Pen Cae. Ond nid oes raid inni dderbyn gair yr awdur. Mae'r nofel yn llawer mwy amwys a dyna'i chryfder.

Mae'n ymddangos i mi fod yna o leiaf un darn o'r nofel nad yw'n cydymffurfio'n gyfforddus â'r ddamcaniaeth a dderbynnir yn gyffredinol fod yr adroddwr wedi bod mewn carchar neu garchar-wallgofdy ar hyd yr 'amser' rhwng cael ei ddal yn ceisio dianc o Bentra a dechrau'i naratif (sef y 'noson ola leuad/heno'). Ar ddechrau'r nawfed bennod mae'r dyn yn sôn am ei Nain:

> Ond nid dyna ddaru neud imi feddwl amdani hi rwan chwaith. Cofio amdani hi'n fy mhasio i ar Lôn Bost yn fanna erstalwm. Sud dach chi heno, medda hi wrtha i, run fath â taswn i'n ddyn diarth a hitha heb fy ngweld i rioed o'r blaen. Hen dywydd garw, yntê? medda hi, a hitha'n braf run fath â mae hi heno. Wedi ffwndro oedd hi, wrth gwrs, a hithau'r adeg honno dros ei deg a phedwar igian oed.

Yna cyfeiria'r dyn at achlysuron pan âi'r hen fenyw i ymweld â'i hen gartref yn nryswch ei henaint a phobl yn byw yno erbyn hynny. Wedyn dywed yr adroddwr: 'Hi ddaeth i edrach ar ein hola ni pan aeth Mam yn sâl'. Nawr, nid yw'r naratif yn dramateiddio llawer o ddigwyddiadau ym mywyd y mab ar ôl salwch y Fam – dyna uchafbwynt y nofel, ac ar ei ôl mae'r naratif yn dirwyn at ei derfyn – eithr symudir yn gyflym at beth bynnag a ddigwyddodd rhwng y mab a'r ferch y sonnir amdani fel Jini Bach Pen Cae ac yna at fwriad y mab i redeg i ffwrdd. Ysgrifenna nodyn at ei Nain a fu'n edrych ar ei ôl ef ac sydd yn ei hiawn bwyll, a heb fod mewn gwth o oedran, hyd y gellir barnu. Felly, yn y darn lle sonia'r adroddwr am henaint a ffwndrusrwydd ei Nain dramateiddir cyfnod rhwng y 'llofruddiaeth' a 'heno'. Dyma ni ar diriogaeth 'How Many Children Had Lady Macbeth?' a 'Was Heathcliffe a Murderer?' A gafodd yr adroddwr ei ryddhau am ddiwrnod, dyweder, i ymweld â'i fro cyn 'heno'? A fu'n rhydd ac yn byw yn y fro am dipyn cyn y 'noson ola leuad?' Ai llithriad ar ran yr awdur yw'r sôn hwn am y Nain? Fy nheimlad i yw fod y darn hwn yn ein hatgoffa o'r angen i dderbyn tystiolaeth naratif yr adroddwr ar lefel amwys ac ar delerau'r llithriant rhwng rheswm ac afreswm, 'breuddwydio'n ôl . . . a weithia breuddwydio mlaen' a wnâi, ei ragredegwyr yw Rashcolnicoff, Holden Caulfield ac Humbert Humbert. A cheir adroddwraig debyg yn Antoinette Cosway yn *Wide Sargasso Sea* gan Jean Rhys; menyw sy'n perthyn yn agos i'r wraig yn 'Y Briodas' a'r fam yn *Un Nos Ola Leuad*; yn wir mae Jean Rhys yn trafod yr un thema, sef neilltuaeth anwirfoddol. Fe ddisgrifir Antoinette Cosway fel menyw 'moonstruck' yn y nofel. Ni ellir dibynnu ar ddim y mae'r adroddwr yn *Un Nos Ola Leuad* yn ei ddweud.

Mae'r sôn am y Nain hen a ffwndrus yn gofyn inni ailasesu a gafodd yr adroddwr ei garcharu neu'i neilltuo o gwbl? Hyd y gwelaf i, nid yw'r testun mor sicr o glir ynglŷn â'r pwynt pwysig hwn â'r awdur yn ei lythyr. Ac fe'n harweinir wedyn at gadwyn o gysylltiadau amwys.

Ydy'r adroddwr yn cyflawni hunanladdiad ar y diwedd? Dyna'r farn gyffredinol ymhlith beirniaid y nofel. Ydy'r mab yn lladd Jini Bach Pen Cae? Eto, dyna'r farn gyffredinol ac mae'r testun fel petai'n awgrymu hynny ac fe ymddengys fod yr adroddwr yn credu iddo'i lladd hi:

> A finna'n sbio arni a meddwl peth bach mor dlws oedd hi a gwddw bach mor feddal oedd gynni hi, a hwnnw'n wyn fel llian a'i bocha hi'n gochion ac yn boeth fel tân. A rhoid fy nwy law am ei gwddw hi a rhoid cisan iddi hi pan oedd hi'n cysgu, a dechra'i gwasgu hi.

Mae'r darn hwn yn swnio fel cyffes, mae'n wir, ond daw yn syth ar gynffon gwadiad rhyfedd iawn:

> Ond deud celwydd oeddan nhw pan ddaru nhw ddeud bod fi wedi taflyd Jini Bach Pen Cae i Rafon ar ôl iddyn nhw gael hyd i'w dillad hi ar lan Rafon.

Os tagodd y mab Jini Bach Pen Cae heb ei thaflu i'r afon yna pwy wnaeth? Sut aeth ei chorff i'r dŵr? A dagodd y mab y ferch heb ei lladd a hithau wedyn wedi cwympo i'r afon? A gyflawnodd Jini Bach Pen Cae hunanladdiad? Wrth gwrs, does dim ateb i'r cwestiynau hyn. Ond nid yw'n beth sicr, chwaith, fod adroddwr y stori yn llofrudd. Mae'r cyfan yn amwys ac yn benagored.

Yn wir, credaf fod dirgelwch yn amgylchynu ail-ymddangosiad Jini Bach Pen Cae ar ddiwedd y nofel. Fe gofir fel y bu i'r mab fynd at Ben Llyn Du i chwilio am Robin Gwas Gorlan ond yn dod ar draws Jini Bach Pen Cae er mawr syndod iddo 'achos peth dwytha oeddwn i wedi glywad amdani hi oedd bod nhw wedi mynd â hi i ffwrdd ar ôl iddi hi fod hefo Em Brawd Now Bach Glo yn Coed Ochor Braich'. Ac onid yw'r darllenydd yn synnu hefyd oherwydd y tro diwethaf inni glywed amdani roedden 'nhw wedi mynd â Jini Bach Pen Cae a Catrin Jên Lôn Isa i'r Seilam'.

Byddai'n briodol inni oedi yma a meddwl am arwyddocâd yr adroddiad ffeithiol syml yma cyn mynd ymlaen i drafod ail gyfarfod y mab â Jini Bach Pen Cae. Yn y bedwaredd ganrif ar bymtheg a than yn gymharol ddiweddar yn yr ugeinfed ganrif aed â merched ifanc i seilamod dan amrywiaeth o esgusodion (fel y dengys astudiaeth Russell Davies); ymddygiad 'anghymdeithasol', 'gwylltineb', 'anfoesoldeb', ac am resymau eraill, er enghraifft pan fyddai merch yn ddigartref neu pan fyddai merch ifanc ddibriod (dan oedran) yn feichiog. Yn aml ni fyddai a wnelo neilltuaeth mewn ysbyty meddwl ddim â rhesymau somatig y ferch. Mae'n ymddangos taw ar ryw esgus dila yr aed â Jini Bach Pen Cae i'r seilam – wedi'r cyfan hyhi gafodd ei cham-drin yn rhywiol gan Preis Sgwl ac Em Brawd Now Bach Glo. Defnyddid y seilam mewn achosion fel y rhain fel peth tebycach i garchar neu fel mynegiant o awydd cymdeithas i gosbi. Doedd dim rhaid bod yn 'wallgof' i fod yn ddeiliad mewn 'gwallgofdy', ac mae'n amlwg y gwyddai Caradog Prichard rywbeth am yr anghyfiawnder hwn. Weithiau, pan âi merch i seilam byddai'n amser hir cyn y deuai allan eto, ac os nad oedd yn dost yn feddyliol pan aeth i mewn byddai'r awyrgylch, deiliaid eraill y lle a'r 'driniaeth' yn ddigon i'w 'gyrru o'i cho'. Canfuwyd achosion niferus o ferched holliach a gadwyd mewn ysbytai meddwl ar hyd eu hoes.

Mae'n beth rhyfedd, felly, fod y mab yn cwrdd â Jini Bach Pen Cae yn y wlad a'i bod hi nawr yn 'Tyddyn Llyn Du'. Wrth enwi'r lle hwn eir â ni yn ôl at bennod IV. Fe gofir i'r mab gael ei adael ar ei ben ei hun a mynd ar goll ar y mynydd yn y bennod honno. Yno daethom ni i deimlo unigrwydd mewnol y bachgen. Ceir cwlwm o gysylltiadau symbolaidd yno; gwrthbwyntio'r haul a'r lleuad; myfyrdod uwchben y Llyn Du sy'n ymgysylltu â Brenhines y Llyn Du a'r ffaith taw yma y dechreua'r naratif ac yma y daw'r naratif i ben; sonnir llawer am Em Brawd Now Bach Glo; y mab yn meddwl sawl gwaith 'mi gaiff mam ffit', gan ragargoeli'i thynged hi sydd i ddod yn y stori yn nes ymlaen. Yna daw'r mab i Dyddyn Llyn Du lle mae'n cwrdd â'r ci defaid Toss a dod yn 'ffrindia mawr mewn dau funud'. Mae'r 'ddynas bocha cochion' yn garedig wrtho. Ond yn y darn hwnnw ceir un o'r delweddau mwyaf enigmatig yn yr holl nofel enigmatig hon. Daw llais o'r tu mewn i'r ffermdy, clywir y llais o'r gegin ond nid yw'r bachgen yn gweld ei berchennog ac ni chaiff y darllenydd wybod pa fath o lais ydyw chwaith – ai hen, ifanc, gwrywaidd neu fenywaidd. Mae'r bachgen yn yr episod hwn yn gofyn faint yw oed y ci ac yn cael yr ateb 'pedairarddeg'. Os yw'r damcaniaethau'n iawn tua deg yw oedran y bachgen yn yr atgof hwn.

Ac ym mhennod XV mae'r mab – sydd o gwmpas 'pedairarddeg' ei hun erbyn yr atgof hwn – yn cofio'r ymweliad hwnnw â'r Tyddyn:

> . . . Ond fuo fi yno unwaith erstalwm. Wedi colli ffordd ar ôl bod yn hel llus, a mynd i ofyn gawn i ddiod o ddŵr. A cael glasiad o laeth a brechdan fawr gan y ddynas. Dew ia, pobol glên ydyn nhw, ma raid. Faint ydy oed Toss?
>
> O, ci bach ydy o. Dim ond chwe mis oed ydy o.
>
> Nid fo ddaru mi weld ta radag honno. Oedd y Toss hwnnw'n bedair ar ddeg.
>
> O ia, ma hwnnw wedi marw.

Ai'r ferch hon oedd y llais yn y gegin ar ymweliad blaenorol y mab â'r Tyddyn? Yn sicr mae'r tro hwnnw yn rhagseinio'r ail ymweliad a'i awgrymiadau erchyll. Mae popeth yn yr olygfa yn ddieithr ac yn peri i'r darllenydd deimlo'n annifyr. Dyna i chi ymddygiad rhywiol a phryfoclyd Jini wrth iddi groesi'r giât gan chwerthin i lawr ar y mab, ei botymau heb eu cau yn iawn ar gefn ei ffrog, a'i gwahoddiad i'r bachgen orwedd gyda hi. Wrth gwrs, nid oes dim byd o'i le ar yr un o'r symudiadau hyn, gan mai dim ond merch hapus a chyfeillgar sydd yma yng nghwmni crwtyn pedair ar ddeg oed. Ond rydyn ni'n gweld popeth o'i safbwynt ef (ac efe a wêl ei hymddygiad yn bryfoclyd ac yn rhywiol) ac mae'r awyrgylch yn hunllefus. Sylwodd Menna Baines ar effaith

> . . . y disgrifiad o'r awyr, y cof am y fam, a'r dewis o le a chymar – oll fel pe'n ein paratoi at ryw wyriad oddi wrth naturioldeb a threfn.

Noda Menna Baines hefyd arwyddocâd Em ym mhennod IV:

> Er mai cymeriad ymylol yw Em yn y nofel, caiff ei ddarlunio'n fwriadus fel rhagflaenydd i'r adroddwr. Ar

> wahân i'r daith i Ben Llyn Du, awgrymir cysylltiadau eraill rhwng eu hanesion. Y noson yr aiff Em ar goll, mae Jini Bach Pen Cae ar goll hefyd ac un esboniad yw mai Em 'oedd wedi mynd â hi efo fo i Goed Allt Braich'.

Onid yw'n ormod o gyd-ddigwyddiad bod y ddau yn treisio Jini Bach Pen Cae? Onid yw'n ormod credu bod y ferch hon wedi cael ei rhyddhau o'r seilam yn dod yn ôl i'r ardal i weithio yn Nhyddyn Llyn Du? Onid yw'n anodd credu y buasai hi'n ymddwyn mewn ffordd mor naturiol?

Mae'r allwedd i'r dirgelwch i'w chael yn y bennod flaenorol, dyna uchafbwynt y nofel – y rhwyg rhwng y mab a'r fam a'i didoliad hi. Yno y gwelir y mab yn torri fel ei fam dan straen yr holl afreswm sydd yn ei amgylchynu fel y gwnaeth y seirff o gwmpas Laocoön (Catrin Jên, Harri Bach Clocsia, Yncl Now Moi, Em Brawd Mawr Now Bach Glo – holl bobl y pentre yn mynd 'o'u coua' fesul un – ac yna ei fam yn suddo hefyd), yn anochel mae'n cael ei dynnu i lawr yn y diwedd. Yn y seilam eto mae'r afreswm yn rheoli – nid yw'r mab yn cwrdd â doctoriaid eithr â dyn sy'n dweud ei fod yn 'frawd ynghyfrath Iesu Grist' a dyn arall sy'n dweud nad oedd hwnnw yn chwarter call. A nyrs – neu, o leiaf, merch mewn dillad nyrs:

> . . . dyma hogan bach ddel mewn dillad nyrs, tua'r un oed â fi, yn dwad i mewn yn wên o glust i glust. Dew, peth bach ddel oedd hi hefyd, hefo gwallt melyn a llgada glas a bocha cochion a'i dannadd hi'n sgleinio'n wyn wrth iddi hi wenu arnan ni. A lot o oriadau'n hongian ar damad o linyn yn ei llaw hi. Oedd hi run fath yn union â Jini Bach Pen Cae.

Yn gelfydd ac yn gynnil iawn yn y darn hwn teflir amheuaeth dros hawl y seilam i gadw pobl dan glo drwy ddangos afreswm lle y disgwylir rheswm, drwy ddramateiddio ymddygiad anghymdeithasol yn lle ymddygiad confensiynol. Mewn geiriau eraill amlygir llithriant rhwng afreswm a rheswm drwy osod 'dynion lloerig' yn lle'r doctoriaid – neu awgrymu taw dynion lloerig yw'r doctoriaid. Yn yr un modd dyma'r tro cyntaf (i bob pwrpas) inni glywed am Jini Bach Pen Cae ers y bennod gyntaf pan ddywed yr adroddwr iddi gael ei chymryd i'r seilam. Nid Jini Bach Pen Cae mo hon serch hynny, eithr merch 'run fath yn union' â hi. Y mae'r adroddwr fel petai'n disgwyl gweld Jini Bach yn y seilam a dyma fe'n taflunio'i delwedd hi ar y nyrs. Unwaith eto, felly, cymysgir rhwng swyddogion y seilam a'r deiliaid. Ond yn y darn uchod synhwyrir naws sinistr yn niddordeb y mab yn *doppelganger* Jini Bach, creffir ar ei gwên, ei phertrwydd, ei gwallt, ei bochau a'i 'llgada glas'. Yn y bennod nesaf, wedyn, dyma ni'n cwrdd â Jini Bach ei hun a'r 'llgada glas':

> Gweld yr awyr yn llawn o llgada glas yn chwerthin arnaf fi oeddwn i, a llgada Jini Bach Pen Cae oeddan nhw i gyd.

Ac wedyn taflunnir y 'llgada glas' ar y Llyn Du:

> Iesgob, ma'r hen Lyn yn edrach yn dda hefyd. Peth rhyfadd iddyn nhw'i alw fo yn Llyn Du a finna'n medru gweld yr awyr ynddo fo. Fasa Llyn Glas yn well enw arno fo a fonta run fath â tasa fo'n llawn o llgada glas. Llgada glas yn chwerthin arnaf fi. Llgada glas yn chwerthin arnaf fi. Llgada glas yn chwerthin.

Nid Jini Bach Pen Cae mo'r ferch a wêl y mab ym mhennod XV. Dyna'r enw y mae'n ei roi arni ond erbyn hyn ni allwn ddibynnu arno (ni allem ddibynnu arno er y dechrau). Ym mhennod XIV fe'i gwelir yn drysu, wrth iddo weld Yncl Wil a Jini Bach Pen Cae ym mhobl eraill. Yn y bennod olaf ymrithia Jini Bach Pen Cae o'i flaen, yn gyfuniad ohoni hi a'i wir *femme fatale*, nid Jini Bach Pen Cae fel y dywed Dafydd Glyn Jones, eithr Ceri hogan Canon, a'i fam a Brenhines y Llyn Du (sydd yn wedd arswydus ar ei fam yn y lle cyntaf). Nid Jini Bach Pen Cae mohoni o gwbl ond merch arall, efallai, gyda gwedd Jini Bach wedi'i thaflunio arni, neu hwyrach taw rhith i gyd yw hi ac nid oes merch yno o gwbl. Dim merch, dim llofruddiaeth. Dim ond breuddwyd ofnadwy o realaidd, gwedd ar ei ddryswch.

(Mae'n werth sylwi yma, efallai, ar wahaniaeth trawiadol rhwng y nofel nad yw'n ddim ond dramateiddiad o afreswm, ac achos o afresymoldeb go-iawn. Astudiodd Michel Foucault ac eraill atgof Pierre Rivière yn *Moi*

Pierre Rivière ayant égorgé ma mère, ma soeur et mon frère, sydd yn glir ac yn fanwl ac yn ddigymysg o oeraidd. Lle mae adroddwr y nofel yn ansicr ynglŷn â'r manylion ac yn ceisio cau beth bynnag a ddigwyddodd – os digwyddodd unrhyw beth o gwbl – allan o'i ymwybyddiaeth, edrych Pierre Rivière i fyw llygaid ei anfadwaith mewn ymgais i feddiannu'r cyfan mewn geiriau.)

Mae cysylltiad agos rhwng y Jini Bach Pen Cae rithiol yn y ddwy bennod olaf a'r fam, tra nad oedd cysylltiad rhwng Jini Bach Pen Cae y bennod gyntaf a'r fam. Yn y seilam y cysylltir y ddwy ym meddwl yr adroddwr. Ymdawdd y ddwy i'w gilydd yn y bwlch rhwng Pennod XIV a Phennod XV. Yn y bennod olaf lle mae'r mab yn meddwl ei fod e'n treisio merch mae'n treisio'i fam yn ei feddwl hefyd.

Yn wreiddiol sgrifennodd Caradog Prichard, 'Dyna'r ffwc orau a gefais i erioed yn fy mywyd'. Fe'i hanogwyd i newid y frawddeg. Yn lle'r llinell honno yn y fersiwn cyhoeddedig ceir, 'Hi oedd yr unig hogan ges i rioed'. Mae'r fersiwn terfynol yn welliant ar y syniad gwreiddiol nid am ei fod yn llai 'aflednais', eithr oherwydd mae'n fwy amwys. Mae'r fersiwn gwreiddiol yn rhy ddiriaethol ac yn dweud yn rhy glir i'r mab dreisio merch o gig a gwaed, am fod y geiriau yn fwy corfforol. Mae'r ailwampiad yn caniatáu'r posibilrwydd taw rhith oedd y cyfan, rhith oedd lladd Jini Bach Pen Cae, breuddwyd ofnadwy. Er bod Caradog Prichard yn ei lythyr at Huw Griffith y soniwyd amdano uchod, yn dweud yn ddigon clir ei fod yn meddwl am yr adroddwr fel dyn a dreuliodd hanner can mlynedd yn seilam Broadmoor am ladd Jini Bach Pen Cae, nid oes raid inni dderbyn hynny. Mae'r nofel yn agosach at fyd yr anymwybod, yn dywyllach ei byrdwn, ac yn fwy amwys. Er inni wrthod tystiolaeth 'allanol' y llythyr hwnnw ceir dogfen arall sydd yn nes at ysbryd y nofel, sef dyddiadur a gadwodd Caradog Prichard yn ei ieuenctid ac yn yr iaith Saesneg. Yno cofnododd 'horrible dream' a gawsai:

> I dreamed that I was in bed with my mother and ravishing her . . . After that dreadful intercourse in which she, being insane, even in the dream, took no part, she got up, and went to some kind of stove where, with the motions of one beating a carpet, she was beating what appeared to be a poached egg. And when I looked round the largish room I found there were about half a dozen youngish mothers lying there asleep with their babies.

Mae cyfatebiaeth agos rhwng y freuddwyd hon a'r bennod olaf yn y nofel. Ac fel y sylwodd Menna Baines, ceir atsain o'r episod yn y stori 'Grisiau Serch', *Y Genod yn Ein Bywyd* sy'n dangos pa mor obsesiynol oedd y ddelwedd hon ym meddylfryd y llenor:

> Am gyfnod o ryw dair blynedd ar ôl gadael y Coleg fe'm tormentid yn rheolaidd a pharhaus, ar gyfartaledd, ryw unwaith yr wythnos, â breuddwyd od ac arswydus. Yn ei fanylion, amrywiai'r breuddwyd o wythnos i wythnos, ond yn ei gyfanrwydd yr un oedd y patrwm. Roeddwn yn cael fy erlid gan gudd-swyddogion ac o dan amheuaeth gref fy mod yn llofrudd. Roeddynt ar drywydd treisiwr geneth ifanc a ganfuwyd yn farw, ac roedd y trywydd, trwy ddirgel ac amryfal ffyrdd, yn arwain ataf fi bob tro. Profwn innau iasau o euogrwydd bob tro y croesai ein llwybrau a phan fyddai'r swyddogion yn fy holi. Teimlwn grafanc hir y gyfraith yn cau amdanaf, a deffrown mewn arswyd, fel anifail wedi ei drapio. Byddwn yn diferu o chwys a chymerai gryn bum munud ar ôl deffro i sylweddoli fy mod yn rhydd – ac yn ddi-euog, – ac mai breuddwyd a hunllef oedd y cwbl. Yn wir, aeth pethau mor ddrwg, fel y dyfalbarhai'r breuddwyd hwn o wythnos i wythnos ac o fis i fis, nes imi ddechrau fy holi fy hun yn ddifrifol yn fy oriau effro. Tybed a oeddwn i, wedi'r cwbl, mor ddi-euog? A oedd yn bosibl mai torment cydwybod oedd yn gyfrifol am y breuddwydio parhaus yma ar yr un thema? A allai fy mod, mewn gwirionedd, yn euog o lofruddiaeth dan ryw amgylchiadau pan nad oeddwn yn llwyr gyfrifol am fy ngweithredoedd?

Yr unig wahaniaeth rhwng y prif gymeriad yn *Un Nos Ola Leuad* a'r cymeriad yn y stori hon yw na allai'r naill ymysgwyd yn rhydd oddi wrth yr hunllef na gwahaniaethu rhwng y rhith-euogrwydd a ffaith. Nid yw e wedi lladd Jini Bach Pen Cae oherwydd nid oedd hi yno i'w lladd. Nid yw'n teimlo gronyn llai o euogrwydd serch hynny. Ac mae'n ceisio dianc – yn arwyddocaol iawn – o'r Pentra. Ffurf ar y fam yw'r Jini Bach Pen Cae rithiol (y ferch o'r seilam, lle'r aeth y fam yn y nofel/'She being insane even in the dream'; lluosogi babanod a lluosogi'r llygaid glas). Ac mae'r 'llgada glas' yn arwain yn syth at y Llyn Du, at Frenhines y Llyn Du, y fam ac angau. Diwedd y naratif.

V

Ond cyn i'r naratif ddod i ben ceir tua thudalen a hanner o'r hyn a elwir fel arfer yn un o'r darnau 'Salmaidd'. Ychydig o sylw a roddwyd i'r darnau hyn gan y beirniaid. Adleisia'r darn olaf hwn o'r bennod olaf bennod VIII.

Anghyfewin a chamarweiniol yw'r disgrifiad o'r darnau hyn fel rhai salmaidd. Mae'r arddull a welir ynddynt yn agosach at arddull Caniad Solomon (fel y nodwyd gan ambell ysgolhaig, megis John Rowlands, Menna Baines, Kate Crockett) ac mae hynny yn dra arwyddocaol.

Am Gân y Caniadau dywed Thomas Charles yn ei *Geiriadur Ysgrythurol* (1805):

> Nid cariad Solomon at ferch Pharoh, nac un arall o'i wragedd, ydyw sylwedd y gân hon . . . Er bod geiriau y llyfr hwn yn serchogaidd, etto y mae y deall yn ysbrydol; heb ynddo na gwŷn cnawdol, nac anlladrwydd anianol. Eithr fel y deallai dyn odidogrwydd Crist ynddo ei hun, a'i serch i'w ffyddloniaid, y mae yr Ysbryd Glân yma yn arfer ymadroddion hysbys i ddyn; ac yn rhoddi i Grist ac i'w eglwys eiriau arferol rhwng dau ddyn ieuanc yn caru; neu ddau briod yn hoffi eu gilydd.

Ymgais fabolgampaidd meddwl Anghydffurfiol y ganrif ddiwethaf (a ddylanwadodd yn gryf ar feddwl dechrau'r ganrif hon, sef cyfnod y nofel) yw'r geiriau uchod i esbonio'r llyfr mwyaf anghyfleus o erotig yn y Beibl. Er mor lletchwith ydoedd rhaid oedd gwadu'i erotigiaeth a'i ailddehongli fel darn 'symbolaidd'. Y mae'r Ysbryd Glân yma yn arfer ymadroddion hysbys i ddyn megis: 'Fy anwylyd a estynnodd ei law trwy y twll; a'm hymysgaroedd a gyffrôdd er ei fwyn' ac 'Agorais i'm hanwylyd; ond fy anwylyd a giliasai, ac a aethai ymaith; fy enaid a lewygodd pan lefarodd: ceisiais, ac nis cefais; gelwais ef, ond ni'm hattebodd' a 'Dy arleisiau rhwng dy lywethau sydd fel darn o bomgranad . . . unig ei mam yw hi, dewisol yw hi gan yr hon a'i hesgorodd; y merched a'i gwelsant ac a'i galwasant yn ddedwydd; y brenhinesau a'r gordderchwragedd, a hwy a'i canmolasant hi', ac nid 'anlladrwydd anianol' mo hyn. (Cyfatebiaeth bwysig arall rhwng y darnau barddonol yn y nofel a Chaniad Solomon yw'r ffaith fod y Sulamees yn ddu a hyn yn ein hatgoffa o Frenhines y Llyn Du.) Rhaid oedd claddu rhywioldeb, nid peth i siarad amdano mohono ac ni allai'r Ysbryd Glân ei grybwyll.

Ffrwyth y meddylfryd gwaharddus hwn yw rhwystredigaeth rywiol *Un Nos Ola Leuad*.

Gweithred lechwraidd a brysiog wedi'i hamgylchynu gan euogrwydd yw'r un rywiol yn y nofel bob amser. Meddylier am Preis Sgwl yn llithro'n llechwraidd 'trw'r drws pella' gyda Jini Bach Pen Cae; Ffranc Bee Hive yn gorwedd ar Gres Elin Siop Sgidia, y ddau'n cnychu mewn cae fel anifeiliaid; Jini Bach Pen Cae (eto) yn mynd ar goll gydag Em Brawd Now Bach Glo, a hoffter Em o 'genod bach'. Gwêl Harri Pritchard Jones yma '[r]yw orymateb i'r gwaharddiadau a'r delfrydu gynt'.

Yn y fam, yn ei datblygiad o'r wraig weddw yn 'Y Briodas' a 'Penyd', gwelir y tyndra rhwng y dymuniad i ufuddhau i'r 'delfrydu gynt' ar y naill law a goresgyniad afreswm ar y llaw arall. Ei llais hi ym mhen yr adroddwr sy'n llefaru ym mhennod wyth a diwedd pennod olaf y nofel; cyd-doddiad yw hi a Brenhines y Llyn Du a cheidwaid panopticon Pentra. A dewisodd Caradog Prichard arddull Caniad Solomon i '[g]eisio'i ganu a'r gwefusau'n cau'. Mae Caniad Solomon yn amlwg yn erotig i unrhyw un sydd yn gallu darllen geiriau ar bapur. Ac wrth ddefnyddio patrymau ymadrodd y llyfr cuddiedig hwn gwnaeth Caradog Prichard ddewis rhyfygus gan ei fod yn ein hatgoffa o rywioldeb y Beibl ar y naill law ac o amharodrwydd rhai crefyddwyr i gydnabod y rhywioldeb hwnnw ar y llaw arall.

Yna, o fewn fframwaith arddull Cân y Caniadau gesyd Caradog Prichard ddarnau mwyaf 'lloerig' y nofel. Nid hel atgofion y mae'r adroddwr yn y darnau hyn o'i naratif eithr clywed lleisiau yn ei ben. Ymgais farddonol i gyfleu'r profiad o 'loerigrwydd' o'r tu mewn, fel petai' yw Pennod VIII ac ail ran Pennod XV. Dyma'r math o lais y mae'r fam yn ei glywed wrth iddi siarad â hi'i hun ar y ffordd i'r Seilam yn y car – ond erbyn hyn y mab ei hun sy'n ei glywed ac yn methu gwahaniaethu rhwng y llais hwn (y lleisiau hyn) a'r un a glywodd Wil Colar Startsh adeg y Diwygiad. Yn y darn olaf nid yw'r dyn yn gallu clywed ei lais ei hun o gwbl, dim ond y lleisiau yn ei ben, sef lleisiau'r Pentra.

Wrth iddo alw dros y llyn 'dest i edrach oes yna garrag atab' fe glyw nifer o adleisiau; ei fam yn gyntaf sydd yn cael ei thrawsffurfio'n rhwydd yn Frenhines y Llyn Du; gwrthodedig y Person Hardd (Canon?); sonia am y treisiwr (Yncl Wil?) ac am ei threiswyr; clywir llais Moi yn dweud 'Pasia'r pot piso yna i mi' fel a wnaeth ym Mhennod VII er mwyn cael poeri gwaed, cyn marw. Ond at eiriau'r fam y dychwel y llais yn y diwedd.

Un beirniad na welodd arwyddocâd yr adleisiau ar ddiwedd y nofel o gwbl yw R. M. Jones:

> Diystyr yw'r dyn rhesymol a hanesyddol bellach, canys byw yr ydym wedi llam Kierkegaard. Ac mae'r profiad goddrychol a ddaw drwy gyfrwng y Lleuad yn dadwneud pob ystyr. Dyma awyrgylch anochel ein dirfodwyr crefyddol, ein cyffurgarwyr, a'n theatr afreswm; ac ni wna Lleuad Caradog Prichard namyn mynegi'n ddelweddog y ddihangfa sydd yn yr hunan-lywodraeth gyfoes. Dyma'r pen draw disgwyliedig: cyfriniaeth yw enw rhai arno.
>
> 'Pasia'r pot piso yna imi; pam y caiff bwystfilod rheibus dorri'r egin mân i lawr'.
>
> Ffitia'r chwalfa feddyliol yn ddelweddog ar batrwm 'safonau' ffasiynol a syniadaeth arferol yr oes, oes na cheir ganddi awdurdod gwrthrychol ac sy'n nofio'n ddiangor hyfryd ar chwiwiau goddrychol pawb a'i ffansi. Rhaid gosod y gyfrol hon mewn cyd-destun byd eang lle y mae sicrwydd o egwyddorion absoliwt a datguddiad o bwrpas cadarn wedi cael eu colli'n gyfleus am y tro . . . Na, dydyn ni ddim yn plygu i awdurdod Eglwys fel y Pabyddion. Nac i awdurdod ysgrythur fel y Diwygwyr Protestannaidd. Iesu Grist dirfodol yn unig. Digynnwys. Goddrychol. Haleliwia. Peidiwch â gwneud gosodiadau. Y cyfarfyddiad sy'n cyfri. Iesu'r llam. Myth o gariad. Emosiwn. 'Pot piso'.

Does a wnelo'r sylwadau digri hyn ddim â'r nofel. Nid yw'r fam yn gwybod dim am lam Kierkegaard. I'r gwrthwyneb. Tardd ei holl broblemau o'i chwaethiwed i 'awdurdod ysgrythur' ac o 'sicrwydd o egwyddorion absoliwt'. Mae D. R. Johnston fel petai'n cyd-fynd ag R. M. Jones pan ddywed '. . . mai crefydd emosiynol yw hon yn y bôn, heb seiliau cadarn mewn credoau pendant'. Ond eglwyswreg ffyddlon yw'r fam yn y nofel, aelod uniongred o'r Eglwys Anglicanaidd, a defodau'r Anglicaniaid a welir yn y golygfeydd sydd yn ymwneud â'r eglwys. Ac onid yw'r disgrifiad o'r croeshoeliad yn gwbl ddiffuant? Ond mae'n wir dweud bod *Un Nos Ola Leuad* yn annymunol i rai am ei bod yn datguddio rhagrith crefydd.

Fel y nodwyd yn barod, nid sosialydd oedd Caradog Prichard ond yn y nofel hon ceir darlun cyrhaeddgar o annhegwch cymdeithasol. A'r cymeriad sy'n amlygu'r anghydraddoldeb orau yw'r Canon. Mae'r fam a'r mab yn mynd i'w gartref moethus lle mae'r bachgen yn ofni sathru ar y lawnt sydd fel crys wedi'i smwddio yn ei esgidiau hoelion. Ac yno yn y 'Ficrej' mae ef a'i fam yn falch o gael briwsion o'r ford. Yn *Afal Drwg Adda* dywedodd Caradog Prichard, 'Onid oedd personiaid yn filionêrs, yn medru fforddio dwy forwyn a gwraig weddw fel Mam i wneud y golchi iddyn nhw bob wythnos?' Ond mae'r fam yn y nofel yn edmygu (os nad yn caru) Canon mewn ffordd slafaidd a diniwed, ac eto, iddo ef mae hi'n llai na morwyn. Mae hithau'n derbyn ei safle israddol mewn cymdeithas, ac yn y pentre oherwydd dyna'r drefn.

Straen pwysau ei hymroddiad i'w heglwys ar y naill law a thlodi enbyd ar y llall sydd yn ei thorri yn y pen draw. Y geiriau olaf y mae'r naratif yn eu rhoi i'r fam yw'r emyn 'Y Gŵr a fu gynt o dan hoelion'. Yn union fel mam yr awdur pan aeth hwnnw i ymweld â hi yn yr ysbyty i ddangos ei goron iddi a hithau wedi canu emyn (ar ôl cipio'r goron a'i sodro ar ei phen) a phennill yn cynnwys y gair 'coron' yn ei linell gyntaf, 'Yn berl yng nghoron Iesu/Dymunwn fyth gael bod'. 'Meddyliwch mewn difrif calon', meddai Harri Pritchard Jones am y stori hon, 'y fath ysgytiad enbyd, ysigol oedd hynny'n ei olygu iddo fo; gweld ei fam yn wallgof hurt bost; yn dal i fyw drwy ieithwedd crefydd ond heb fedru taflu'i baich oddi ar ei gwar'. Nid wyf i'n gymwys i ddadlau gyda'r diagnosis 'yn wallgof hurt bost', ond yr hyn a welaf i yma yw'r 'afreswm' yn treiddio trwy ffolineb ac yn rhoi pin yn swigen hunanfalchder y bardd coronog; gwelaf eto y llithriant rhwng rheswm a'r afreswm; afreswm yn gweld ei gyfle i danseilio a beirniadu awdurdod (fel mae'r fam yn gwneud yn y nofel), gan droi pob peth a phob sefyllfa yn ddŵr i'w melin grefyddol ffanatigaidd.

Ac onid yw'r fam 'drwy ieithwedd crefydd' yn ceryddu'r pentref, ei chymdeithas a'i chymdogion, a'i heglwys gyda'r ymddygiad '[g]wallgof hurt bost'? Rhaid iddi gael ei dwyn i ffwrdd, er ei lles ei hun, er lles y pentre, am ymddwyn yn 'wallgof hurt bost', hynny yw, am feirniadu'r byd y mae hi'n byw ynddo, yn union fel y cymerid beirniaid mewn gwledydd totalitaraidd i ffwrdd i 'Seilamod'.

A beth yw ei beirniadaeth? Mae'r fam a'r mab yn 'dlawd ymhlith tlodion', fel y dywedodd yr awdur amdano ef a'i fam yn ei hunangofiant *Afal Drwg Adda*. Tlawd am reswm syml: mae'r fam yn weddw. Dengys 'Y Briodas', 'Penyd' ac *Un Nos Ola Leuad* yn glir statws di-rym, diawdurdod a diymgeledd gwraig weddw yn ystod y cyfnod sy'n cael ei ddramateiddio yn y nofel, sef dechrau'r ganrif. Ar ben ei gweddwdod mae'r wraig yn fam sengl. Mae absenoldeb y tad yn taflu llifolau didrugaredd ar ddibyniaeth lwyr y rhan fwyaf o fenywod yn yr oes honno (heb fod mor bell yn ôl) ar eu gwŷr ac ar waith eu gwŷr. Roedd menyw heb ŵr yn gwbl ddigynhaliaeth, heb ddarpariaethau nawdd cymdeithasol, a gwneir iddi deimlo cywilydd ynglŷn â'i sefyllfa nes ei gorfodi i gilio i ymylon y gymdeithas. Mae'n arwyddocaol ac yn gyrhaeddgar fod Caradog Prichard yn rhoi'r teitl 'Penyd' i'r ail bryddest oherwydd fe gosbid y wraig weddw am fod yn weddw. Hyn, fe ellid dadlau, yn hytrach na'i galar a'i phrofedigaeth, sydd yn ei gyrru hi 'o'i cho', y cyfrifoldeb o gadw corff ac enaid ynghyd a magu plentyn ar ei brifiant ac yn wyneb cymdeithas ddidrugaredd. Gorfodir y fam yn *Un Nos Ola Leuad* i symud i ymylon y gymdeithas yn llythrennol, yn union fel petai'n cael ei beio am ei statws digymar, fel petai wedi lladd ei gŵr. Yn y pen draw, yn y nofel enbyd o gyhuddgar hon, difreinnir y wraig weddw ddifreintiedig drwy'i didoli oddi wrth y gymuned a'i hamddifadu o'i rhyddid.

Daw'r fam a'i mab mwy nag unwaith yn agos at newynu; briwsion o'r 'Ficerej', 'myshyrŵms' sy'n tyfu'n wyllt ac am ddim ar Ffridd Wen ac, ar un achlysur, haelioni elusen dieithryn dirgel a diwyneb sydd yn eu cadw rhag syrthio dros y dibyn.

Yn y diwedd mae'r straen yn drech na hi ac mae'r wraig yn ildio i afreswm.

Mor wahanol yw'r darlun o dlodi yng ngwaith Kate Roberts. O gymharu'i phobl hi â rhai Caradog Prichard ymddangosant fel dosbarth uwch o dipyn. Yn aml iawn cwyna cymeriadau Kate Roberts am eu hanfanteision economaidd. Mae Owen yn *Traed Mewn Cyffion* yn ennill swllt ond yn cael ei orfodi i'w roi i'w fam, 'Mae'n bwysicach iti gael bwyd . . .', meddai honno. Dechreua un bennod o'r un nofel gyda'r disgrifiad hwn:

> Gartref daliai Jane ac Ifan Gruffydd i ymdrechu â'u byw. Erbyn hyn yr oedd cyflogau'r chwareli'n îs nag y buont erioed, a gofynion bwyd yn fwy. Daethai Wiliam i oed talu am ei fwyd ei hun yn lle rhoi ei gyflog i gyd i'w fam, ffaith a'i gwnâi ef yn fwy annibynnol ac a wnâi ei fam yn dlotach. Câi ei fwyd a'i olchi a llawer o fân bethau am ddeg swllt ar hugain y mis. Y ffaith galed i Wiliam oedd fod ei gyflog yn lleihau fel yr âi'n hŷn, ac na fedrai gadw dim o'i arian. Gwnâi hyn ef yn anfodlon a chwerylgar.

Serch hynny brwydrent yn eu blaenau gan ymfalchïo, bron, yn eu stoiciaeth ddewr. Does dim sôn am gyflogau nac am brisiau nac am anfodlonrwydd yn nofel Caradog Prichard. Ac eithrio'r Canon a'i deulu, mae pawb o fewn cylch y bachgen yn dlawd, nid ydynt byth yn cyrraedd 'y taliad olaf' a thynged llawer o'i gymeriadau yw'r slymiau, y seilam ac yn egr o aml hunanladdiad.

Tlawd yw'r teulu yn *Traed Mewn Cyffion* – er bod Jane

Gruffydd ar y dechrau yn ymddangos yn ddigon cefnog – ond mae'u sefyllfa'n gwaethygu'n raddol. Ond drwy'r cyfan yng nghanol y nofel saif y teulu niwcliar, er gwaethaf ei dreialon di-rif erys Ifan Gruffydd yn ffyddlon i'w wraig, ac mae ganddo'r cwrteisi i beidio â marw hefyd a llwydda i gynnal ei deulu nes bod rhai o'i blant yn gallu talu yn ôl. Yn *Un Nos Ola Leuad* mae'r teulu'n nodedig o anghyflawn o'r dechrau, mae'r bwlch yn amlwg ac fel gweddw mae'r fam yn arswydus o ddigynhaliaeth, mae'n byw yn llythrennol o'r llaw i'r genau, o'r naill ddiwrnod i'r llall. Mae'r fam yn llwyddo, rywsut, i fagu'r mab – ond ni lwyddodd ef i gyrraedd annibyniaeth gyflawn arni cyn iddi dorri.

Ond mae gan y fam hon rym. Ei grym yw bod yn fam. Ei mab wedi'r cyfan sydd yn ei choroni'n Frenhines. Peth o'i nerth yw ei rheolaeth dros hunaniaeth ei mab.

Llyncodd nifer o feirniaid y nofel ddamcaniaeth Freud ynglŷn ag Oidipos yn ddihalen heb unwaith amau awdurdod Freud – gwyddonydd na wnaeth yr un astudiaeth wyddonol erioed er mwyn cadarnhau'i ddamcaniaethau. Mae'r term 'cymhlethdod Oidipaidd' wedi mynd yn rhan o gynhysgaeth yr ugeinfed ganrif heb i'r rhan fwyaf ohonom wybod beth yn union mae'n ei olygu. Ond fel term diau y bu'n ddefnyddiol yn arfogaeth seicdreiddiaeth i gyfiawnhau cloi pobl mewn llefydd fel y lle y cafodd mam Caradog Prichard ei churo gan y nyrsys a'i chadw am weddill ei hoes am ei bod yn 'wallgof hurt bost'.

Yn yr olygfa lle mae'r mab yn mynd i wely'i fam fe wêl sawl darllenydd ddramateiddiad o gymhlethdod Oidipaidd, ond byddai'n fwy adeiladol a mwy buddiol cymharu'r episod â'r un ar ddechrau *A la recherche du temps perdu* gan Marcel Proust (nid enwir y cymeriad canolog, fel y dywedwyd eisoes, tan bron ddiwedd y nofel hirfaith). Yma, erys y bachgen ar ddihun am gusan ei fam, ac yna gwobrwyir ei amynedd pan ganiatâ'r tad i'r fam gysgu yn yr un stafell â'r mab. Er bod nofel Proust a nofel Prichard yn disgrifio dau fyd cwbl wahanol i'w gilydd yr un yw'r emosiwn yn y golygfeydd hyn. Atgofion bore oes ydynt, ill dau'n dod yn agos at ddechreubwynt ymchwil ac ymgais i adennill ac i archwilio'r gorffennol. Dyna bwrpas y ddwy nofel, gyda Caradog Prichard, fel Proust, yn twrio i'r gorffennol er mwyn deall y presennol ('heno'). Mae ffuglen yn offeryn grymus i archwilio'r byd er dod i'w ddeall yn well ac i ddadansoddi'r ffordd y mae'n gweithio. Mae'r llais dienw yn *Un Nos Ola Leuad* yn dadelfennu archaeoleg ei sefyllfa ac yn adolygu'i dynged.

Yn ei astudiaeth ardderchog tyn Dafydd Glyn Jones sylw at rai o oblygiadau diffyg enw'r mab:

> Cael ei fedydd y mae bachgen *Un Nos Ola Leuad* hefyd, mynd trwy ddŵr i fywyd newydd. Temtir rhywun i ofyn tybed na ddaw iddo yn y bywyd hwnnw un, yn arbennig, o'r pethau y mae wedi bod hebddynt yn y bywyd daearol. Enw. Wn i ddim beth oedd cymhellion Caradog Prichard wrth beidio â rhoi enw i'w brif gymeriad, ond gellir dyfalu mwy nag un rheswm digon da; creu trafferth i'r beirniaid, a'u gorfodi i sgrifennu 'y bachgen', 'y prif gymeriad', 'yr arwr' bob tro y bydd arnynt eisiau cyfeirio ato; profi ei bod hi'n hollol bosib gwneud heb yr un; rhoi ar ddeall inni nad ydym am gael gwybod popeth a'n gwahodd i dderbyn bod atal gwybodaeth yn rhan o ddull y stori hon. Beth bynnag, y mae'r ddyfais yn gweithio. Drwy wadu iddo enw, amgylchir y bachgen â rhyw deimlad o anghyfiawnder – anghyfiawnder hogyn o'i gymharu â dyn, neu ddyn cyffredin o'i gymharu ag arwr. Fel y mae'r hyn sydd weddill o fabiniogi Lleu Llaw gyffes yn ein hatgoffa, cael enw yw un o'r amodau y mae'n rhaid eu bodloni cyn y bydd dyn yn gyflawn ac yn barod i wynebu'r byd . . . y mae 'disgwyl am enw' yn un o themâu cudd *Un Nos Ola Leuad*.

Mae'n asesiad hyfryd, yn pefrio gan sylwadau disglair, ond ystyrir y nofel fel mabinogi, fel stori am blentyndod. Dewisach gen i yw edrych ar y stori fel un am ddyn sydd wedi colli'i enw, wedi cael ei amddifadu o'i hunaniaeth. Mae gwacter ynddo, bwlch yn ei gyfansoddiad. Hefyd gwelaf adroddwr *Un Nos Ola Leuad* yn llinach modernwyr o adroddwyr dienw neu led-ddienw fel a geir yng ngweithiau Kafka, Proust a Beckett.

Cafwyd cryn dipyn o ddyfalu ynghylch y tad absennol hwn ymhlith y beirniaid sydd wedi astudio'r nofel. Gan nad yw'r testun yn dweud pam y mae'r tad yn absennol codwyd amheuon ynghylch cyfreithlondeb y mab. Awgrymwyd sawl cymeriad y sonnir amdanynt fel tadau i'r plentyn (Wmffra Tŷ Top, Yncl Wil – brawd y fam – a hyd yn oed Canon). Ond mae'n amlwg fod y fam yn wraig briod gan fod y bachgen yn cael ei modrwy ar ôl iddi fynd i'r seilam a daw pennod IV i ben gyda hi'n dweud 'Meddwl am dy dad oeddwn i', ac mae'n glir nad yw'n meddwl am ryw dreisiwr neu gariad godinebus yma eithr am ŵr sydd wedi marw. Camarweiniwyd rhai gan y cynildeb.

A nawr gadewch i ni fynd yn ôl at y fam. Onid oes pŵer dychrynllyd yn null y fenyw arbennig hon o osgoi dweud enw'r mab – 'y nghyw i', 'yr hen drychfil bach', 'ynghyw bach annwyl i'? Mae'r *lipogram* yn ystryw sy'n cau allan hunaniaeth y bachgen. Gall hyn fod yn anfwriadol. Pam mae'n ymgroesi rhag dweud enw'i mab? Ai am fod enw'r tad ar y bachgen? Byddai ynganu'r enw wedyn yn rhy boenus, efallai; yn wreichionen a fyddai'n ffrwydro'r galar sydd yn tawel fudlosgi yn y fenyw, yn ffyrnig, ei holl enaid yn protestio yn erbyn y gŵr absennol sydd wedi'i hamddifadu o bob statws a pharch cymdeithasol. Hyd yn oed os bu farw'i gŵr mae ganddi hawl i fod yn ddig wrtho. Ac mae'r mab – os yw'n cario enw'r gŵr hwnnw – yn ei hatgoffa o'i gŵr o hyd, yn pwysleisio'i absenoldeb wrth brifio, wrth fwyta ac wrth fod yn annwyl, wrth ddod yn debycach i'w dad bob dydd, efallai.

VI

Yn y diwedd daw'r ffrwydrad anochel. Ond cyn hynny mae'r mab wedi cyd-doddi a thaflunio grym tawel arswydus y fam ar gawresau naturiol y tirlun o'i gwmpas – Brenhines y Llyn Du a Brenhines yr Wyddfa. Ar yr un pryd mae'r un tân wedi cydio ynddo ef i fudlosgi'n beryglus ond yn ddistaw.

Ei broblem ef – a phroblem y rhan fwyaf o gymeriadau'r nofel – yw ei anallu i fynegi'i deimladau. Yn ddieithriad canmolir *Un Nos Ola Leuad* am y ffordd y defnyddiodd Caradog Prichard dafodiaith ynddi. Ond nid iaith gyfoethog sydd yma eithr iaith dlawd anhuawdl. Iaith pobl brin eu geiriau, pobl heb fynegiant ac ansicr eu lleferydd sydd yn y nofel, iaith tlodion, geirfa gyfyng y werin ddiaddysg (nid gwerinwyr diwylliedig mytholegol O. M. Edwards, T. Rowland Hughes a D. J. Williams). Oddi fewn mae'r fam yn storm o lid a gwrthdystiad yn erbyn holl anghyfiawnder ei sefyllfa. Ymgais i gyfleu hynny eto a welaf yn yr adrannau barddonol o'r nofel, fel y nodwyd, ond dioddef yn ddistaw a bodloni i'r drefn a wna yn ei bywyd cyhoeddus, fel y rhai o drigolion eraill Pentra nad oes ganddynt mo'r adnoddau ieithyddol nac addysgiadol i ateb yn ôl nac i wneud safiad dros eu hawliau.

Un o brif amcanion y dafodiaith – ar wahân i'r elfen o hiwmor a berthyn iddi, fel y cawn drafod yn nes ymlaen – yw dangos pobl nad ydynt yn gallu eu mynegi'u hunain yn glir y tu allan i gylch cyfyng eu Pentra. Rhoes Caradog Prichard lais i'r rhai heb lais, a mynegiant i'r rhai tawedog ac ebychiadol, rhoes eiriau i'r rhai nad yw geiriau yn dod yn hawdd iddynt. Canodd y gân ni chanwyd. Felly, nid ymgais i drawslythrennu iaith ddemotig sydd yn y nofel hon eithr iaith lenyddol artiffisial sy'n consurio cylch cyfyng ardal arbennig ond sy'n cynysgaeddu'r bobl dawedog â huodledd.

Distawrwydd a diffyg geiriau yw un o brif themâu *Un Nos Ola Leuad* – y fam a'r tad a'r mab heb enwau, y mynych ddefnydd o'r gorchmynnol ail unigol 'taw', safiad tawel Gres Elin Siop Sgidiau a cherydd dieiriau Huws Person wrth iddo wrthod y cymun iddi. Gorfodid distawrwydd ar y bobl hyn fel penyd am iddynt gael eu geni mewn lle mor ddiarffordd a difreintiedig â Phentra.

Fel llawer o bobl ddi-rym a difynegiant try rhai at hocws-pocws (Wil Colar Starts, y fam ei hun yn ei ffanatigiaeth), at afreswm ac at hunanladdiad. Strategaethau dianc yw pob un o'r adweithiau hyn.

Un o ffigurau mwyaf enigmatig a symbolaidd y nofel yw Catrin, 'cneithar' yr adroddwr sy'n cael ei chyflwyno fel hyn:

> Ac oedd Catrin, fy nghneithar, chwaer bach Guto, yn eistadd yn y gornal run fath ag arfar, yn deud dim byd wrth neb. Oedd Catrin wedi llosgi'i gwynab pan oedd hi'n hogan bach, wedi cael ei sgaldian pan ddaru teciall droi ar y tân, ac oedd golwg ofnadwy ar ei gwynab hi, a'r croen yn sgleinio'n binc, a wedi crychu i gyd. Fydda hi byth yn mynd allan na deud sud ydach chi wrth neb, a hitha dest yn bymthag oed. Dim ond eistedd trwy'r dydd wrth y tân yn darllen neu'n gweu sanna.

Yr anffurfiad damweiniol sydd wedi'i charcharu hi yn ei phersonoliaeth ei hun. Ei hunig amddiffyniad yn erbyn creulondeb y byd yw ymgilio ac ymddistewi. Yn debyg i Bartleby yn stori enwog Herman Melville try'i chefn ar y byd mawr allanol a throi i mewn yn hytrach na dioddef ymysg pobl eraill. Adlewyrcha'r unigrwydd enbyd hwn gyflwr y creadur modern yn ein hoes ddiseintwar. Dengys ei distawrwydd trist anobaith y rhai sydd heb rym na statws. Gwelir yn Catrin un arall o strategaethau cymeriadau'r nofel i ddianc.

Fel T. H. Parry-Williams yn 'Y Ferch ar y Cei yn Rio' ac W. J. Gruffydd yn 'Gwladys Rhys' mae Caradog Prichard yma yn rhoi inni gipolwg ar gymeriad ymylol, unig sydd yn ein hudo fel magned drwy ennyn chwilfrydedd a chonsurio dirgelion. Ceir yn y brasluniau hyn storïau, dramâu a nofelau heb eu sgrifennu.

Ond mae tewi fel Catrin yn ddoethach na thorri allan i siarad â chi'ch hun neu â'r lleisiau yn eich pen fel sy'n digwydd i'r fam (a mwy na thebyg i'r mab), oherwydd canlyniad hynny wedyn fyddai i'r gymdeithas symud yn gyflym mewn cydweithrediad i'ch rhoi dan glo mewn seilam. Mwy perthnasol na gwaith Foucault ar y seilam i'r nofel hon felly yw *The Madwoman Can't Speak* gan M. Caminero-Santangelo.

Dangosodd Caradog Prichard y wraig weddw yn siarad â hi'i hun gyntaf yn 'Y Briodas', ac yn ddiddorol iawn pan lefarodd yn 1927 gwnaeth hynny yn ei thafodiaith:

> Ddoist ti o'r diwadd, Risiart annwl,
> Ddoist ti'n ôl o'th siwrna hir,
> 'Rown i'n eitha siŵr fy meddwl
> Y doi mreuddwyd inna'n wir . . .

Mae'n anodd erbyn hyn inni werthfawrogi pa mor drawiadol oedd hyn y pryd hynny. Sylwodd Elsbeth Evans ar y ffordd y defnyddiodd Caradog Prichard yr iaith yn y bryddest:

> Ychydig iawn o feirdd a allasai gyfuno cyfriniaeth a thafodiaith fel y gwna ef. Mewn comedi, yn ôl llawer traddodiad llenyddol, y defnyddir tafodiaith. Defnyddir hi fel elfen ddiraddiol, fel cyfrwng i gymell chwerthin. Anaml y defnyddiwyd hi mewn llenyddiaeth ddifrifol, llai fyth gan brif gymeriad mewn trasiedi. Eto i gyd, y mae tafodiaith Arfon yn ychwanegu at dristwch a grymuster hunlle olaf y wraig yn 'Y Briodas'.

Mae hi bron yn amhosibl amgyffred y sylw hwn yn ein dyddiau ni pan fo bron pawb yn defnyddio tafodiaith yn ddiwahaniaeth. Mae tafodiaith wedi mynd yn norm, yn *de rigeur* hyd yn oed, nes iddi golli'i grym. Rhaid inni fynd yn ôl i gyfnod **cyn** *Un Nos Ola Leuad* er mwyn deall y pwynt yn iawn. Edrychwch ar *Sioned* Winnie Parry; ar ddramâu Kate Roberts (tafodiaith ddeheuol sydd ynddynt), ac ar storïau Islwyn Williams – comedïau oeddynt i gyd. Newidiwyd hyn i gyd gan *Un Nos Ola*

Leuad, fwy neu lai, oherwydd er bod elfen o gomedi yn sicr ynddi, mae hefyd yn nofel 'lenyddol'. Bu'r nofel yn fodd i ryddhau'r iaith a'i newid. Mae dylanwad y nofel ar lenorion Cymraeg (yn enwedig ar ogleddwyr) ail hanner yr ugeinfed ganrif yn anfesuradwy. Gellid yn deg sôn am ddau gyfnod yn y nofel Gymraeg, y Cyfnod Cyn *Un Nos Ola Leuad* a'r Cyfnod Ar Ôl *Un Nos Ola Leuad*. Tafodiaith ogleddol **yw'r** iaith lenyddol bellach a hynny yn sgil y nofel hon. Nid bod Caradog Prichard wedi dyfeisio tafodieithoedd y gogledd, wrth gwrs (ond mae lle i gredu bod y nofel **wedi** dylanwadu ar rai ohonynt), ond dangosodd ffordd i sgrifennu a defnyddio tafodiaith.

Pan aeth Caradog Prichard ati i sgrifennu'i nofel yn y pumdegau dewisodd iaith lenyddol a fyddai'n edrych yn ôl ar y naill law at gyfnod cynharach (iaith hen ffasiwn, mewn geiriau eraill) ac iaith a fyddai'n awgrymu iaith plentyn ar y llaw arall (iaith blentynnaidd yn wir, oherwydd beth bynnag yw oedran y prif gymeriad, dyn plentynnaidd ydyw hyd y diwedd). Rhyddhaodd yr iaith at ei bwrpas ei hun, a'i rhyddhau o'i hualau ffurfiol llenyddol. Adluniodd yr iaith at bwrpas y nofel gan greu iaith lenyddol hyblyg. Wedi'r cyfan iaith lenyddol sydd yn y nofel oherwydd ni all unrhyw iaith ysgrifenedig fod yn ddim ond iaith lenyddol, er bod honno'n honni bod yn adlewyrchiad ar yr iaith lafar. Dyfeisiodd iaith fywiog redegog. Ac fe'i derbyniwyd â breichiau agored (yn wahanol i iaith *Sioned* sydd yn sicr yn rhagredegydd iddi).

Gwaetha'r modd, mae'r rhyddid a grewyd gan Caradog Prichard yn *Un Nos Ola Leuad* wedi cael dylanwad andwyol hefyd. Mater o ddewis oedd y dafodiaith iddo ef, gallai sgrifennu mewn amryw o arddulliau fel y dengys ei bryddestau, ei atgofion a'i storïau eraill. Mae llawer o lenorion diweddar yn defnyddio mathau ar dafodiaith – a dim byd ond tafodiaith – er mwyn cuddio ansicrwydd ynglŷn â rheolau'r Gymraeg. Hyd yn oed yn *Un Nos Ola Leuad* amrywiodd y llenor ei arddull; yn wir, amcan arall y darnau 'barddonol' yw arwyddo i'r darllenydd fod yma feistr ar iaith wrth y llyw.

Mor ddeniadol oedd iaith lenyddol Caradog Prichard yn y nofel hon nes iddi swyno sawl cenhedlaeth o lenorion. Ond nid yw eu hefelychiadau mor greadigol â'i iaith ef. Gwelir ynddynt agwedd go geidwadol; awydd i gadw'r iaith fel yr oedd hi ers talwm, hynny yw fel yr oedd hi ym mhlentyndod dychmygol Caradog Prichard; ieithoedd sy'n edrych yn ôl yw 'Cymraegau' yr efelychwyr hyn.

Ond defnyddiodd Caradog Prichard y dafodiaith, fel y nododd Elsbeth Evans, 'fel cyfrwng i gymell chwerthin' – yn ôl ei swyddogaeth draddodiadol mewn llenyddiaeth – ac i 'ychwanegu at dristwch a grymuster hunlle' y naratif.

Hyd yma trafodwyd *Un Nos Ola Leuad* fel nofel ddifrifol, neu fel nofel sydd 'o ddifrif'. Ond mae'n amlwg o'r tudalen cyntaf fod hiwmor yn elfen gref yn ei chyfansoddiad. Gwelodd Helena Kaut-Howson rai nodweddion picarésg yn y stori a thynnodd John Rowlands sylw at yr hwyl a'r natur garnifalaidd a berthyn iddi. Ond mae'n anodd rhoi'ch bys ar yr hiwmor hwn. Ni cheir yma yr un jôc fel sy'n britho *Wele'n Gwawrio* gan Angharad Tomos er enghraifft, na dim llawer o'r 'comedi sefyllfa' a geir yn nofelau byrion Harri Parri, storïau *Sna'm Llonydd i G'al* Margiad Roberts neu *Un Peth Di Priodi, Peth Arall Ydi Byw* gan Dafydd Huws. Fe geir digwyddiadau doniol iawn mae'n wir; y bechgyn yn bwydo'r tabledi i'r myncwn, efallai, yw'r enghraifft orau. Ond yn amlach na pheidio mae'r hyn sy'n 'cymell chwerthin' hefyd yn gwneud inni deimlo'n annifyr. Creaduriaid doniol ar un olwg yw Harri Bach Clocsia sy'n chwerthin yn wirion ac yn dangos ei bidlen i'r bechgyn; Wil Elis Portar sy'n eu dychryn ac yn cael 'ffit'; Em Brawd Mawr Now Bach Glo sy'n gwisgo dillad ei fam; ond a ydyn ni i fod i chwerthin am eu pennau? On'd oes rhywbeth trist am bob un ohonynt? Ac elfen fygythiol, beryglus hefyd – gan na ellir ymddiried yn ymddygiad yr un ohonynt; yn sydyn byddent yn gweiddi am eu mamau, neu'n cipio merched bach neu'n cyflawni hunanladdiad. Mae hiwmor cymeriadau *Un Nos Ola*

Leuad yn dwyn i gof wrth-arwyr theatr yr abswrd. Yn *Wrth Aros Godot* mae'r ddau drempyn yn ymddwyn fel Laurel a Hardy mewn rhyw rwtîn theatrig o'r 'music hall', ond paratoi i ymgrogi y maen nhw o ganghennau'r unig goeden yn eu byd. Cyn iddynt ddod yn agos at gyflawni hunanladdiad beth bynnag, wrth i un ohonynt dynnu'r rhaff am ei ganol, mae'i drowsus yn llithro i lawr. Chwerthin. Diwedd y cynllun. Mae hiwmor yr abswrd bob amser yn ffinio ar fod yn ddagreuol o boenus. Mae'r un peth yn wir am *Un Nos Ola Leuad*. Dyna pam y disgrifir y nofel hon fel nofel *sombre* (fel y gwnaed mewn rhagymadrodd i un o weithiau Menna Gallie, cyfieithydd cyntaf nofel Caradog Prichard) ac weithiau fel nofel ddigri. Yr un nofel yw hi ond mae'r ddwy elfen yn gorgyffwrdd ac yn ymdoddi i'w gilydd.

Dro ar ôl tro mae'r croestyniad hwn rhwng y doniol, yr elfennau comedïol a'r trasig – ac eto y treisgar yn gymysg â'r trist – yn ein hanniddigio, yn ein taflu ni oddi ar ein hechel.

Tarddu o'r gymeriadaeth y mae hiwmor y nofel hon, ac yn bennaf, wrth gwrs, o gymeriad y mab yn ei ddiniweidrwydd ac wedyn o'i bersonoliaeth blentynnaidd fel dyn mewn oed (yr adroddwr). Mae'r mab a'i gyfoedion, er enghraifft, yn edrych ar ryw drwy dwll clo diniweidrwydd, heb ei deall, ac mae'n ddirgelwch iddynt. Beth mae Preis Sgŵl yn ei wneud gyda Jini Bach Pen Cae, beth mae Ffranc Bee Hive a Gres Elin Siop Sgidiau yn ei wneud gyda'i gilydd? Maent yn sbio ar ryw o'r tu allan, fel petai, o bellter blaenlencyndod. Hidlir y cyfan drwy ymwybyddiaeth ofidus y mab a thrwy gof tymhestlog yr adroddwr. Ond i weithgareddau rhywiol a doniol y nofel ceir canlyniadau trychinebus ac arswydus bob tro.

Tardd comedi'r nofel, felly, o ddychan sydd yn archwilio anatomi Pentra fel pelydr X gan ganfod yno ragrith a thwyll a bwystfileiddiwch.

Dibynna holl hiwmor *Un Nos Ola Leuad* ar goegi neu eironi metaffisegol – dyma lenyddiaeth o'r radd uchaf – mae'n drasiedi. Mae gwreiddiau'r trasiedi yn tarddu o'r unigolion yn y stori ac mae'n datblygu i fod yn gomedi nid oherwydd fod y cymeriadau'n ddoniol nac oherwydd fod pethau doniol yn digwydd iddynt, ond, i'r gwrthwyneb, mae'n dod o'r ffaith fod pobl yn drist.

Swyddogaeth yr elfen ddigri dwyllodrus, sydd yn swyno cymaint o ddarllenwyr y nofel, yw goleuo bywydau mewnol y cymeriadau a goleuo comedi tywyll y byd allanol, y cuddio, a'r rhagrith. Yr enghraifft orau, fe ddichon, yw'r olygfa honno lle mae'r mab yn edrych drwy'r ffenestr ac yn gweld y Canon yn ymddwyn yn rhyfedd.

Pan osododd Caradog Prichard ei nofel ar y groesffordd wyrthiol hon rhwng comedi a thrasiedi fe amlygodd (mewn modd anamlwg iawn) brif rinwedd y gwaith, sef ei amwysedd. Cwyd yr amwysedd sydd yn hydreiddio'r nofel o'r adroddwr ei hun a hwnnw'n ymgorfforiad o amwysedd moderniaeth; mae'n blentyn ac yn ddyn, yn ddiniweityn ac yn llofrudd efallai (nid yw ef ei hun yn hollol siŵr), yn 'lloerig' ac yn weledydd. A chan ein bod ni'n gweld ei fyd ef trwy'i ddealltwriaeth ansicr ef, dro ar ôl tro llithra'r naratif rhwng rheswm ac afreswm, heintir ef ag amheuaeth epistemolegol.

Yng nghanol y nofel saif y bachgen wedi'i arosod neu'i daflunio ar y dyn sydd yn hel ei atgofion, ar ddibyn y Llyn Du o'r dechrau; y bachgen sydd yn ffigur enbyd o unig er gwaethaf y gymdeithas fyrlymus o'i gwmpas, er gwaethaf ei gyfoedion a'i gyfeillion agos Huw a Moi (sylwer ar y nifer o weithiau y gadewir ef ar ei ben ei hun ganddynt), er gwaethaf y fam serchus. Fe'i gadewir gan Moi (angau), gan Huw (y de) ac yn y diwedd, y rhwyg enbytaf, gan ei fam wrth i honno gael ei thorri i lawr gan ei dieithrwch oddi wrth bobl eraill (mor barod yw Defi Defis Snowdon View, y cymydog 'caredig', i'w hebrwng i'r Seilam) nes nad yw'n adnabod ei mab ei hun. Ond a ellir cydymdeimlo ag ef os yw'n llofrudd neu os nad yw ei deimladau treisgar dan ei reolaeth?

Nid yw *Un Nos Ola Leuad* fyth yn cynnig un emosiwn yn unig eithr cwyd toreth ohonyn nhw ym mhob episod ac o bob cymeriad. Ac felly nofel ddirgel yw hon, mae dirgelwch yn ei chanol hi. Os yw'n wir fod y nofel ddisgwyl-a-datrys (hynny yw, y nofel dditectif, yr *whodunnit*) yn codi o'r nofel odineb glasurol, yna mae'n deg disgrifio *Un Nos Ola Leuad* fel nofel ddisgwyl-a-datrys benigamp. Ei phrif ddirgelwch (mae'n gyfrodedd o ddirgelion) yw dirgelwch y tad absennol fel yn y nofel odineb, nid amgen 'pwy yw'r tad, ble mae ef?' *Pater semper incertus est*. Ac eto nid nofel odineb mohoni er gwaethaf yr holl ddyfaliadau ynghylch tad y bachgen (Wmffra Tŷ Top, Yncl Wil, Canon ac yn y blaen), go brin mai neb ond gŵr y fam oedd y tad. Mae hi'n rhy biwritanaidd ac yn rhy rinweddol i fod yn odinebwraig, 'ei fam o sy'n ddynas dduwiol iawn', chwedl Huw. Y gwir ddirgelwch yw'r absenoldeb, y ffaith nad yw'n cael ei enwi, y ffaith nad yw'r mab yn cael ei enwi. Mae'r 't' am 'tad' wedi cael ei ddileu (Pritchard yn troi'n Prichard) fel adlewyrchiad wyneb-i-waered o'r Beibl – fel Iesu Grist nid oes tad daearol o gig a gwaed gan y mab. Ceir yr argraff weithiau iddo gael ei genhedlu drwy ddulliau uwchnaturiol, a thry'r fam yn wyryf ddifrycheulyd sydd yn cael ei dyrchafu'n fendigaid ymhlith gwragedd, fel Mair mewn parodi o'r Dyrchafael nid i fynd 'i fyny'r nefoedd fatha balŵn' ond i fod yn Frenhines y Llyn Du. Caiff ei llyncu gan y seilam yn hytrach na chan y nefoedd. Ond erys enw'r tad yn ddirgelwch i'r darllenydd, ni chawn ni byth wybod yr ateb. Ac mae'n ddirgelwch hefyd i'r bachgen. Gan y tad yr etifeddodd ansicrwydd hunaniaeth – does ganddo ddim hunaniaeth, dim enw – a chyll ei fam ei hunaniaeth hefyd, does dim enw ganddi hi chwaith.

Yn naturiol mae'r bylchau hyn yn y naratif yn ennyn chwilfrydedd y darllenydd. Mae popeth o bwys yn y nofel yn ddirgelwch.

Dyma nofel sydd yn ysgogi ac yn ildio deongliadau di-rif.

Cynigiwyd ychwaneg o ddeongliadau yn y drafodaeth hon ond yn y pen draw mae *Un Nos Ola Leuad* yn nofel na ellir ei 'deall', mae gormod o gwestiynau anatebadwy ynddi. Cynghorir beirniaid llenyddol heddiw i ymgroesi rhag dehongli ond yn achos y nofel hon ni ddichon peidio.

Ysbrydoli deongliadau gyda'i dirgelion yw diben y testun enigmatig hwn. Tynnir y darllenydd i mewn i rwydwaith o ddyfaliadau ac ansicrwydd, ei holl bleser yw'r posau sy'n madarchu – neu â defnyddio geirfa'r adroddwr, yn tyfu fel myshirŵms ar bob tudalen.

Un o'r gweithiau nerfus ac unig yna sydd mor nodweddiadol o'r ugeinfed ganrif ac o foderniaeth yw *Un Nos Ola Leuad* – tebyg yn hyn o beth i'r *Trawsffurfiad* neu *Y Prawf* gan Kafka, *Dyn Heb Rinweddau* Musil, *Wide Sargasso Sea* Jean Rhys, cerddi Pessoa, dyddiadur Pavese – gweithiau sy'n mynegi arswyd bodolaeth ac ofn difodiant.

Wrth edrych ar lenorion ein dyddiau ni, yn enwedig yn Lloegr ac America, gwelir bod sgrifennu yn ddiwydiant mawr. Oes y llenor o filiwnydd yw hon; Jeffrey Archer, Joanna Trollope, Fay Wheldon, Martin Amis, Jackie Collins, Toni Morrison. Clywir am Archer yn cyflogi tîm o ymchwilwyr, ac am David Lodge yn talu pobl i gael eu 'dilyn' a defnyddio'u bywydau fel 'copi' yn ei waith, ac am holl olygyddion Maeve Binchy, am gytundeb Toni Morrison gydag Oprah Winfrey i wneud ffilm o'i nofel sydd yn werth miliynau. Ond nid oes gan yr un o'r llenorion hyn yr un awdurdod â llenorion tlawd, egsentrig, obsesiynol y gorffennol; Plath yr hunanleiddiad; Proust asthmatig, hoyw ac Iddewig; Kafka niwrotig, Iddewig, yn dioddef o anhunedd a'r diciâu; Jean Rhys alcoholig a diwreiddiau; Céline ffasgaidd ac afresymol; Mishima ffanatigaidd a hoyw; James Baldwin du a hoyw; Virginia Woolf manig; a Tennessee Williams, hoyw ac alcoholig (y llenor agosaf at Caradog Prichard o ran ei themâu – cloddiai'r ddau yn yr un chwarel; atgofion am berthynas fenywaidd agos yn cael ei chymryd i seilam). Dyma rai o'r lleisiau cryfaf eu hawdurdod, 'Plant Dioddefaint' chwedl 'Penyd', ac iddyn nhw y perthyn Caradog Prichard yn *Un Nos Ola Leuad*.

LLYFRYDDIAETH DDETHOL

GWEITHIAU CYHOEDDEDIG

Canu Cynnar (ni nodir man cyhoeddi, 1937)
Terfysgoedd Daear (Dinbych, 1939)
'R Wyf Innau'n Filwr Bychan (Dinbych, 1943)
Tantalus a Cherddi Eraill (Dinbych, 1957)
Un Nos Ola Leuad (Dinbych, 1961)
Llef Un yn Llefain (Dinbych, 1963)
Y Genod yn ein Bywyd (Dinbych, 1964)
'Coron a Chadeiriau', *Trafodion Cymdeithas Anrhydeddus y Cymmrodorion* (1970), 299-314
Y Rhai Addfwyn (Caernarfon, 1971)
Afal Drwg Adda (Dinbych, 1973)
Cerddi Caradog Prichard (Abertawe, 1979)

YMDRINIAETHAU Â GWAITH CARADOG PRICHARD

Elsbeth Evans, 'Barddoniaeth Mr Caradog Prichard', *Y Llenor*, XXI (1942), 113-25.

Dafydd Glyn Jones, 'Rhai Storïau am Blentyndod', yn J. E. Caerwyn Williams (gol.), *Ysgrifau Beirniadol IX* (Dinbych, 1976), 255-73.

Dafydd Glyn Jones, 'Caradog Prichard', yn D. Ben Rees (gol.), *Dyrnaid o Awduron Cyfoes* (Lerpwl, 1975).

R. M. Jones, *Llenyddiaeth Gymraeg 1902-1936* (Llandybïe, 1987), 272-83.

R. M. Jones, *Llenyddiaeth Gymraeg 1936-1972* (Llandybïe, 1977), 271-78.

Saunders Lewis, *Meistri a'u Crefft* (Caerdydd, 1981), 4-8.

Hawys Melangell Ogwen, 'Barddoniaeth Caradog Prichard', M.A., Bangor, 1994.

Menna Baines, 'Ffaith a Dychymyg yng Ngwaith Caradog Prichard', M.Phil., Bangor, 1992.